Caro

Chère lectrice,

Souvenez-vous… Cet été, une actrice française très connue rompait avec son compagnon, trop volage à son goût, par magazine « people » interposé. Du jamais vu ! Quinze jours plus tard, la même actrice signait un article intitulé : « L'infidélité n'est plus un sujet tabou. »

Ah bon ? Mais d'abord qu'est-ce que l'infidélité ? Qu'est-ce que « tromper » quelqu'un ? Pour parler d'infidélité, faut-il nécessairement qu'une tierce personne intervienne et dénoue le couple ? Dans votre collection Passion de ce mois, deux héroïnes étonnantes et attachantes cherchent la réponse chacune à leur manière.

Voyons Francesca : aimée d'un prince, elle vit un vrai conte de fées et rêve du mariage que son soupirant lui fait miroiter. Puis une rumeur arrive à ses oreilles : son prince serait déjà destiné à une autre par le roi son père… Le savait-il ou pas ? S'il savait, pourquoi a-t-il choisi de ne rien dire ? A-t-il trahi ou ne sait-il comment se sortir de l'impasse ? Bref, est-il ou non resté fidèle aux serments faits à Francesca, à l'amour qu'il lui porte ?

Passons maintenant à Daisy. La voilà à trois secondes de dire « oui ». Toute la famille est réunie, les orgues résonnent. Et soudain, coup de théâtre ! Daisy retrousse sa jupe de mariée et quitte la cérémonie à toutes jambes ! Que s'est-il passé dans sa tête ? Eh bien, elle vient de comprendre qu'elle n'est pas amoureuse de son fiancé… Alors, que diriez-vous de Daisy ? Qu'elle rompt la parole donnée ? Qu'elle fuit ses promesses ? Qu'elle est, à sa manière, infidèle ?…

… Ou bien, au contraire, qu'elle est très fidèle — à elle-même, et à l'importance qu'elle accorde à l'amour dans le mariage ?

Bonne lecture !

...able de collection

Sous le charme du prince

LAURA WRIGHT

Sous le charme du prince

Collection *Passion*

éditions Harlequin

Cet ouvrage a été publié en langue anglaise
sous le titre :
CHARMING THE PRINCE

Traduction française de
CATHERINE ALGARRA BERTHET

HARLEQUIN®

est une marque déposée du Groupe Harlequin
et Passion® est une marque déposée d'Harlequin S.A.

Originally published by SILHOUETTE BOOKS,
division of Harlequin Enterprises Ltd.
Toronto, Canada

Toute représentation ou reproduction, par quelque procédé que ce soit, constituerait
une contrefaçon sanctionnée par les articles 425 et suivants du Code pénal.
© 2003, Laura Wright. © 2004, Traduction française : Harlequin S.A.
83-85, boulevard Vincent-Auriol, 75013 PARIS — Tél. : 01 42 16 63 63
Service Lectrices — Tél. : 01 45 82 47 47
ISBN 2-280-08338-8 — ISSN 0993-443X

1.

Francesca Charming. Ce nom évoquait irrésistiblement les charmes, la magie et les enchantements, même si la principale intéressée, Francesca elle-même, n'avait jamais cru aux contes de fées. Cependant, tout le monde a le droit de changer d'avis !

Ce fut du moins la pensée qui vint à l'esprit de la jeune femme quand elle vit l'antique forteresse qui se dressait devant elle et l'étendard or et pourpre de Llandaron qui claquait dans le vent vif du matin. L'allée de pavés se déroulait sous ses pieds comme un ruban aux tons chatoyants au fur et à mesure qu'elle avançait.

Le château, une imposante demeure de pierre blanche au style raffiné et élégant, se trouvait au sommet d'une haute falaise dominant l'Atlantique. Une volée de marches de marbre d'un blanc crémeux s'élançait jusqu'en haut du promontoire à la rencontre d'une massive herse de bois sombre. Des centaines de fenêtres perçaient les murailles recouvertes de lierre, comme autant d'yeux fixés sur la fine silhouette de Fran qui avançait dans l'éclatante lumière du matin. De part et d'autre de cette impressionnante bâtisse se dressaient deux tours blanches aux toits d'ardoise qui semblaient tendre le cou de toutes leurs forces vers le ciel d'un bleu d'azur.

Une brise légère enveloppait Fran et l'enivrait de senteurs marines auxquelles se mêlait le parfum des bruyères. Bercée par l'atmosphère magique de l'endroit, elle était sur le point d'oublier sa profession et la raison de sa présence à…

— Bienvenue à Llandaron, miss.

La voix grasseyante et pleine d'allant fit tressaillir Fran, qui pivota sur elle-même. Un jardinier, occupé à greffer un chèvre-feuille odorant, lui adressa un clin d'œil.

— C'est la première fois que vous venez au château, pas vrai ? La vue est à couper le souffle, n'est-ce pas ?

La magie se dissipa en un clin d'œil et Fran reprit pied dans la réalité. Elle n'était pas venue à Llandaron pour se laisser emporter par son imagination débordante et puérile. Si elle avait fait le voyage jusqu'à cette petite île qui représentait une nation à elle seule, c'était pour gagner l'argent qui lui permettrait de réaliser le rêve de sa vie. Or, le seul but de Fran, son unique rêve, c'était de fonder une clinique vétérinaire à Los Angeles.

Serrant étroitement sous son bras la besace de cuir qui conte-nait son matériel, elle sourit au jardinier et annonça, de son ton le plus professionnel :

— Je suis le Dr Charming. Je viens juste d'arriver et je cherche les écuries. Je ne me suis pas trompée de chemin ?

Le jardinier fit un petit signe de tête approbateur.

— Suivez cette allée jusqu'au bout, elle vous mènera droit jusqu'à la porte de l'écurie. Quand vous y serez, demandez Charlie, c'est lui qui s'occupe de tout.

L'homme se détourna, reportant son attention sur un jeune cyprès, et ajouta :

— Il vous servira de guide.

— Merci.

Fran poursuivit son chemin, posant le regard de çà de là, observant les détails du paysage.

Tous les livres qu'elle avait lus pour se documenter sur Llandaron vantaient « la beauté sauvage et luxuriante de l'île au printemps ». Mais cette plate description était loin de rendre compte de la réalité. Tout en traversant un superbe jardin qui descendait en pente douce vers l'immense écurie, elle contempla les pelouses d'un vert éclatant qui s'étendaient tout autour du château. Les collines, au loin, étaient parsemées de buissons piquetés de minuscules fleurs rouge vif. Des massifs de bruyère mauve se pressaient aux pieds d'arbres centenaires.

Située à une centaine de kilomètres à peine de la Cornouailles, l'île de Llandaron semblait surgie d'un univers féerique.

Pressant sa sacoche sous son bras, Fran pénétra dans les imposantes écuries d'un pas qu'elle espéra assuré. Les stalles, constata-t-elle au premier coup d'œil, étaient d'une propreté méticuleuse. Les chevaux hennirent doucement sur son passage et elle prit le temps de leur caresser à tous les naseaux avant de s'engager dans le long couloir qui prolongeait l'écurie, pour y chercher le dénommé Charlie.

Mais elle se figea sur place en arrivant à la dernière stalle. Torse nu, une fourche à la main, un homme soulevait des brassées de foin qu'il rejetait dans la stalle adjacente. Il lui tournait le dos et ne semblait pas conscient de sa présence. Sans même penser à ce qu'elle faisait, Fran laissa son regard glisser sur ses lourdes bottes éraflées, puis remonter sur le jean étroit et délavé qui laissait deviner des cuisses solides et musculeuses, et enfin sur un dos brun et… magnifique. La jeune femme s'humecta les lèvres tout en poursuivant son examen. L'homme avait une taille mince, un dos large, solide. Sous la peau bronzée et luisante de sueur se dessinaient des muscles longs et puissants.

Francesca laissa involontairement échapper un petit soupir appréciateur… et fut mortifiée en s'apercevant que l'homme l'avait probablement entendue, car il se retourna et sourit en rencontrant son regard.

— Bonjour, mademoiselle, lança-t-il aimablement.

Son fort accent du terroir indiquait qu'il était natif de Llandaron. Les mots s'échappèrent de ses lèvres fermes et sensuelles avec une fluidité qui enveloppa la jeune femme d'une onde de chaleur aussi agréable que paralysante.

Francesca eut du mal à recouvrer l'usage de la parole. Ce n'était pourtant pas son style de demeurer muette d'admiration devant un homme ! Elle s'efforçait plutôt d'avoir une allure distante et impassible. Mais avec sa stature largement au-dessus de la moyenne, ses épais cheveux noirs et ondulés, ses traits finement sculptés, ses sourcils accentués qui mettaient merveilleusement en valeur des iris d'un bleu de Prusse, cet homme ne ressemblait à aucun autre qu'elle ait déjà rencontré. Etait-ce un demi-dieu ?

Le regard de Fran plongea sur sa poitrine nue, couverte d'une fine toison brune et fortement musclée. L'inconnu possédait ce que certaines jeunes femmes dans l'entourage de Francesca appelaient une « tablette de chocolat ». Des abdominaux en béton. Le coup d'œil valait le déplacement jusqu'à Llandaron, songea-t-elle, mutine. Mais elle dut serrer les poings pour résister à la tentation de poser les doigts sur ce torse afin de sentir les muscles durcir et se tendre sous les paumes de ses mains.

Rassemblant chaque once de courage qu'elle possédait, elle parvint à déclarer d'un ton ferme, subtilement teinté d'indifférence :

— Vous êtes Charlie, je présume ?

L'homme s'adossa nonchalamment au chambranle et promena sur Fran un regard plein d'assurance sous lequel elle se sentit fondre.

— Vous présumez ?

Fran ne parvint pas à déterminer au ton de sa voix s'il s'agissait d'une question ou d'une réponse, mais elle prit le parti de ne pas insister. Il valait mieux que ce gars ne sache pas à quel point elle se sentait troublée. Recouvrant un semblant de sang-froid, elle déclara :

— Je suis le Dr Francesca Charming. Mais vous pouvez m'appeler Fran, tout simplement.

Une lueur illumina le regard bleu magnétique de l'homme.

— La vétérinaire américaine ?

— Je viens de Californie.

Il promena paresseusement sur elle son regard malicieux. Ses pupilles bleues s'arrêtèrent sur les lèvres de Fran.

— Cheveux blonds, peau bronzée, longues jambes et jolis yeux, commenta-t-il. Une vraie Californienne.

Fran eut soudain l'impression que, d'un coup de baguette magique, une fée à l'esprit coquin venait de transformer son banal pantalon beige et son chemisier à l'allure sage en lingerie noire, sexy et terriblement osée. Ses joues s'empourprèrent traîtreusement et elle pesta intérieurement. Pour l'amour du ciel, elle était pourtant une fille moderne, sûre d'elle et habituée aux dragueurs des grandes villes ! Pas du tout le genre à rougir à tout bout de champ et à bredouiller. Et elle savait remettre les impertinents à leur place sans leur laisser deviner qu'en réalité, sous cette façade pleine d'assurance, se cachait une petite femme timide.

— Vous m'avez assez regardée ? demanda-t-elle en levant le menton avec un brin d'arrogance. Ou bien vous voulez que je me retourne pour que vous puissiez voir le reste ?

L'homme soutint son regard avec un amusement évident.

— Il me semble que je pourrais vous poser la même question.

Fran fut décontenancée par la réponse pleine d'à-propos. L'homme venait de marquer un point.

— Eh bien ? ajouta-t-il, avec un petit sourire au coin des lèvres.

— Eh bien, quoi ?

— Vous venez de me faire une proposition, docteur Charming. Et je trouve qu'il ne serait que justice que vous me laissiez admirer votre… *dos,* puisque vous avez contemplé le mien si longtemps.

Les yeux de la jeune femme s'élargirent de stupeur.

— Je… Je n'ai rien fait de tel ! Et… il n'est pas question que je me retourne. Je… ne disais pas ça…

— Une autre fois, alors ? suggéra-t-il avec un large sourire.

— Je ne crois pas.

Elle se détourna, cherchant des yeux la raison de sa présence à Llandaron. Un large bureau s'ouvrait à sa droite, confortablement meublé et éclairé par de nombreuses fenêtres. Juste à côté d'une baie vitrée donnant sur les jardins, Fran découvrit ce qu'elle cherchait. Allongée sur une couche de peluche verte, se trouvait un joli berger allemand aux yeux bruns et doux. Une chienne en fait, dont le ventre était très arrondi. Un rayon de soleil filtrant à travers les rideaux baignait l'animal d'une lumière pâle.

Dix jours auparavant, Fran n'avait encore jamais entendu parler du roi Oliver et encore moins de sa chienne. De fait, c'est à peine si elle connaissait l'existence de Llandaron. Puis le Dr Dennis Cavanaugh, son associé et peut-être futur fiancé, s'était vu offrir ce poste de vétérinaire « royal ». Sa réputation auprès des riches et célèbres propriétaires de chiens de Los Angeles lui avait déjà valu plusieurs invitations de ce genre émanant de membres de l'aristocratie européenne. Mais cette fois, il s'était trouvé trop occupé à soigner le bichon d'une jeune star de cinéma pour pouvoir quitter le pays. Aussi avait-il recommandé Francesca au roi de Llandaron. La jeune femme ne s'était pas fait prier pour prendre sa place : le salaire qu'on lui offrait était aussi attrayant que la perspective d'un bref changement d'air.

La chienne posa sur Fran un regard interrogateur, comme si elle se posait des questions quant à son identité et à la raison de sa visite. Fran lui sourit.

— Tu es une vraie beauté, dit-elle en posant la main sur la poignée de la porte grillagée qui les séparait.

Mais avant qu'elle ait pu esquisser un geste de plus, une main large et solide se posa sur la sienne. Une spirale de chaleur sembla se déployer dans sa paume et se propagea dans son bras.

— Permettez, docteur.

Fran retira ses doigts en étouffant une exclamation de surprise.

— J'espère que je ne vous ai pas brûlée, dit l'homme, pince sans rire, tout en poussant le battant pour la faire entrer.

Fran passa devant lui d'un pas vif.

— Vous n'avez rien fait du tout.

Il émit un petit rire et murmura, la voix sourde :

— Vous en êtes sûre ?

Les joues flambantes, Francesca se dirigea vers la chienne. Non seulement elle avait eu une réaction stupide, mais en plus elle avait menti et cet homme s'en était aperçu, songea-t-elle, toute rougissante de honte.

S'il n'avait tenu qu'à elle, elle l'aurait envoyé balader sur-le-champ et pris la situation en main toute seule. Mais elle savait que la chienne serait bien plus à l'aise avec quelqu'un qu'elle connaissait. Or, le bien-être de l'animal passait avant tout. Ce n'étaient pas quelques palpitations malvenues qui allaient la détourner de sa tâche.

— Alors, tu vas être ma patiente ? dit-elle avec douceur en s'asseyant près de la chienne enceinte.

Le malaise qu'elle avait éprouvé en compagnie du valet d'écurie commença à se dissiper au contact de l'animal qu'elle allait soigner. Mais l'homme vint se placer à ses côtés et se pencha vers la chienne. Son jean délavé se tendit sur ses cuisses. Il avait enfilé un T-shirt noir usé.

— Son nom est Grande Dame Glindaron, dit-il. Mais nous l'appelons Glinda.

— Glinda ? répéta Francesca en tendant la main à la chienne pour lui permettre de renifler l'odeur de ses doigts. Comme la gentille sorcière ?

— La gentille sorcière ?

— Oui, vous savez bien. Dans *Le Magicien d'Oz*.

13

Elle se tourna vers l'homme dont le visage ne laissa filtrer aucune expression.

— C'est un film, précisa Fran.

L'homme s'assit sur ses talons et fit remarquer :

— Les films, nous ne savons pas ce que c'est ici.

Fran comprit à son sourire malicieux qu'il se moquait d'elle.

— Très drôle, Charlie, fit-elle d'un ton sec.

Il baissa la tête d'un air coupable. Délivrée du regard de braise dont il l'enveloppait, Fran éprouva un intense soulagement, un peu comme si elle venait de trouver un coin d'ombre sous un soleil brûlant. Cependant, elle ne put se résoudre à détacher les yeux de cet homme. De sa bouche sensuelle, de son corps séduisant. Un mélange fatal… pour une femme qui faisait passer l'amabilité et la douceur de caractère avant le sex-appeal !

Fran essaya de toutes ses forces d'évoquer le visage de Dennis. En vain. Ce valet d'écurie la tenait sous le pouvoir de son regard insistant, fascinant. Si un jour il décidait de changer de métier et de devenir hypnotiseur, il ferait sans doute fortune.

— En fait, les gens de Llandaron aiment le cinéma, dit-il en gratouillant l'oreille de Glinda. La famille royale également. Il paraît même que *Le Magicien d'Oz* fait partie des films préférés du roi.

— Je suis enchantée d'apprendre que Sa Majesté est un homme de goût. En matière de cinéma comme en matière d'animaux.

Fran ouvrit sa sacoche et en sortit un thermomètre et un stéthoscope. Maintenant que Glinda s'était habituée à sa voix et à sa présence, il était temps de se mettre au travail. Le valet semblait vouloir s'attarder auprès d'elle. Qu'à cela ne tienne ! Elle le supporterait avec le sourire. Par la suite, lorsque Glinda et elle seraient habituées l'une à l'autre, elle n'aurait plus besoin d'adresser la parole à cet homme.

14

— Est-ce vous qui êtes habituellement chargé de prendre soin de Glinda ? s'enquit-elle d'un ton distant.

— Je m'en occupe autant que je peux.

— Dans ce cas, j'aimerais vous poser quelques questions. Si vous permettez.

— Bien sûr, dit-il en inclinant la tête.

— Est-ce qu'elle mange et boit normalement ?

— Elle mange moins que d'habitude mais elle boit davantage.

Fran hocha la tête.

— A-t-elle eu des saignements ou des vomissements ?

— Non.

— Parfait, dit-elle en se penchant un peu plus sur le berger allemand. Caressez-la et faites en sorte qu'elle reste calme pendant que je l'ausculte.

L'homme haussa un sourcil, l'air amusé.

— En somme, vous me demandez de vous aider ?

— Oui, si cela ne vous dérange pas.

— Je ne vois pas en quoi cela pourrait me déranger.

— Je ne veux surtout pas vous empêcher de travailler.

— De travailler ?

Fran désigna d'un geste les écuries.

— Je suppose que vous devez nettoyer les stalles et nourrir les bêtes.

— Ah, oui… bien sûr. Mon travail.

Une lueur illumina son regard, accentuant le bleu de ses prunelles.

— Je pense tout de même pouvoir vous accorder quelques minutes, reprit-il.

Une onde chaude se répandit dans le ventre de Francesca, dans des régions si lointaines qu'elle en fut désarçonnée un instant. Mais elle parvint à surmonter son trouble.

— Très bien. Toutefois, je ne voudrais pas vous causer d'ennuis. N'hésitez pas à me prévenir si j'abuse de votre temps.

— C'est très aimable de votre part, répondit-il avec un rire bref. Mais il n'y a pas à s'inquiéter, je suis en excellents termes avec mon employeur.

Francesca ausculta la chienne et écouta le cœur des chiots dans le ventre de leur mère. Elle prit son temps, heureuse de pouvoir détourner son attention de ce valet au charme ravageur. Jamais encore elle ne s'était sentie si troublée et si attirée par un homme. Cela ne lui était arrivé ni avec les nombreux séducteurs qu'elle avait rencontrés à Los Angeles, ni avec Dennis.

— Ces chiens-loups ont souvent des grossesses à risques, dit Charlie pendant que Fran examinait les yeux et les oreilles de l'animal. On dit que vous êtes une spécialiste dans ce domaine ?

— Cette rumeur est exacte.

— Il en court donc d'autres à votre sujet ? interrogea-t-il en maintenant la chienne pour que Fran puisse observer sa dentition.

— Bien sûr, fit-elle d'un ton léger.

Elle se cramponna désespérément à cette attitude désinvolte, en faisant tous les efforts possibles pour ne pas céder au charme du parfum viril et envoûtant de son compagnon.

— Mais les autres sont des mensonges, poursuivit-elle. Ou des demi-vérités.

— Quand même, j'aimerais bien les connaître.

Fran pinça les lèvres, l'air songeur.

— Je ne crois pas que les innocents sujets de Llandaron soient prêts à entendre de telles choses.

L'homme lui lança un regard langoureux qui lui prouva qu'il n'avait rien d'un innocent. Comme si elle ne le savait pas déjà.

— Et que pensez-vous de Llandaron, docteur Charming ? demanda-t-il.

16

Leurs visages n'étaient distants que de quelques centimètres.

— Eh bien, je ne suis arrivée que depuis quelques heures, mais ce que j'ai vu est…

Elle s'interrompit, le souffle court, en surprenant le regard brûlant qu'il posa sur ses lèvres.

— Impressionnant ? suggéra-t-elle.

Sa voix de baryton enveloppa la jeune femme comme du miel fondu.

— Oui, répondit-elle dans un murmure.

Jamais elle n'aurait cru qu'un ton si sensuel puisse s'échapper de ses propres lèvres.

Que se passait-il ? se demanda-t-elle, tandis qu'une bouffée d'air frais et légèrement salé s'engouffrait par la fenêtre et lui caressait le visage. Que diable lui arrivait-il donc ? Elle avait sans doute eu tort de venir. Elle aurait mieux fait de rester à Los Angeles avec Dennis et de laisser ce job à quelqu'un d'autre.

Mais à peine cette pensée irrationnelle lui effleura-t-elle l'esprit que Francesca la repoussa avec énergie. Cet homme l'attirait. Bon, et alors ? Ce n'était pas pour cela qu'elle allait se jeter à son cou ! Et encore moins laisser cette attirance la détourner de son travail.

La voix de Charlie l'arracha à ses pensées.

— Llandaron est une terre impressionnante, dit-il. Les habitants sont fiers de leur pays, de sa beauté intacte et de l'existence paisible qu'on y mène.

— Je les comprends. C'est un endroit extraordinaire.

Elle reporta son attention sur Glinda, caressant son épaisse fourrure beige afin de gagner sa confiance.

— Vous avez vécu ici toute votre vie ? s'enquit-elle.

— Vous voulez dire à Llandaron, ou au palais ?

— Je ne sais pas… les deux.

— Eh bien, oui. J'ai grandi dans ce château.

— La belle vie, en somme ! répondit Fran avec un petit rire. Vos parents travaillaient donc ici et vous avez choisi de faire comme eux, c'est ça ?

— En quelque sorte. C'est une affaire de famille, dirons-nous.

Fran ne put s'empêcher de lui lancer un regard en coin.

— Vous avez l'air de le regretter ?

— On n'est pas toujours libre de faire des choix dans la vie, docteur.

— Quelle idiotie ! répliqua-t-elle du tac au tac.

— C'est votre opinion ?

— Absolument.

Glinda ferma les yeux, allongea la tête et posa son museau sur les genoux de Fran.

— Nous n'avons qu'une seule vie, reprit cette dernière. C'est ridicule de laisser aux autres le contrôle des quelques précieuses années que nous devons passer sur cette terre ! C'est une perte que nous ne pourrons jamais rattraper.

Une fois que Francesca était lancée sur ce genre de sujet, plus rien ne pouvait l'arrêter.

— Mon père disait toujours que la vie était le cadeau le plus précieux que l'on puisse recevoir, ajouta-t-elle.

Son cœur se serra douloureusement au souvenir de son père. Seize ans déjà que celui-ci avait disparu... En la laissant pratiquement seule au monde, puisque les autres membres de la famille ne semblaient même pas se rappeler son existence.

L'homme à son côté la regarda fixement, le visage dur et fermé.

— Que direz-vous donc des enfants du roi, docteur ? Pour eux, l'honneur et le devoir doivent passer avant tout. Faire des choix est un luxe qu'ils ne peuvent pas se permettre.

— Ils le peuvent s'ils le veulent ! Ce sont eux qui ont choisi de faire passer l'honneur et le devoir avant leurs désirs personnels et leurs besoins profonds, voilà tout.

N'avait-elle pas elle-même décidé de choisir Dennis, si doux et si équilibré, plutôt que tous ces beaux parleurs qui ne pensaient qu'à vous séduire pour vous ajouter à leur tableau de chasse ? Elle ne croyait ni aux contes de fées ni au prince charmant. Ceux qui voulaient se faire passer pour tels n'étaient que des loups déguisés qui se cachaient sous d'élégants costumes Armani. Mais grâce au ciel, Francesca n'était tombée dans le piège qu'une seule fois. La leçon lui avait suffi.

La jeune femme reporta son attention sur Glinda et lui palpa le ventre.

— C'est drôle, dit-elle pensive. La vie des familles royales fait rêver la plupart des gens. Leur style de vie, les réceptions, les bals, les jeunes princes à marier...

— Mais vous, ça ne vous fait pas rêver ?

— Non, répliqua Fran. Quand j'étais petite, je n'étais pas du genre à regarder des films à l'eau de rose, comme les autres filles de mon âge.

— Que faisiez-vous, si vous ne regardiez pas de films ?

Francesca ne put réprimer un petit sourire énigmatique.

— Je soignais les animaux blessés qui se réfugiaient dans notre jardin.

— Je parie que vous les guérissiez tous, dit Charlie d'un ton amusé.

— Presque tous.

Sauf ceux que les fils de sa belle-mère capturaient pour les torturer. Elle repoussa ces souvenirs et s'efforça d'afficher un sourire détendu. Le passé était le passé.

— Disons simplement que je n'ai jamais voulu considérer le monde à travers le voile rose des contes de fées, reprit-elle sobrement.

19

— Si vous ne voyez pas la vie en rose, comment la voyez-vous, Francesca ?

— Appelez-moi donc Fran. La vie, je veux la voir comme à travers des verres infrarouge. Je veux connaître les détails, la vérité. Il ne faut pas se laisser aveugler par son imagination et ses fantasmes.

— Les fantasmes peuvent pourtant nous apporter beaucoup de satisfactions.

Fran sentit une onde de chaleur se répandre dans tout son corps. Sans réfléchir, elle leva la tête et rencontra le regard de son compagnon. Ses yeux d'un bleu sombre révélaient tout à la fois la passion et l'intelligence.

— A court terme, peut-être, répliqua-t-elle.

Un sourire flotta sur ses lèvres et il demanda :

— Vous ne vous contentez pas de plaisirs à court terme, je suppose ?

Le regard de la jeune femme se posa sur la fenêtre, puis sur Glinda, évitant soigneusement de croiser celui de l'homme qui se tenait à ses côtés.

— Je croyais que vous vouliez simplement savoir quelle vision j'avais de la vie.

— Quel âge avez-vous, Francesca ?

— Vingt-huit ans.

— Vous êtes très raisonnable, pour votre âge.

Fran haussa les épaules, un peu gênée par le compliment.

— J'ai mes idées, voilà tout.

— Des idées très progressistes.

— Vous trouvez ?

— Oui, fit-il avec un large sourire.

— Que Son Altesse veuille bien m'excuser…

Fran se tourna vivement vers la porte. Un homme d'un certain âge, vêtu de vêtements de travail, se tenait sur le seuil. Il les dévisagea d'un air curieux.

— Bonjour, Charlie, lança le compagnon de Fran, de sa voix de baryton.

Francesca eut l'impression que son cœur s'arrêtait de battre.

Charlie s'inclina profondément.

— Je vous souhaite également une bonne journée, Votre Altesse. Son Altesse Royale est de retour et désire s'entretenir avec vous.

— Merci, Charlie. Vous pouvez vous retirer.

Fran n'attendit pas que le vrai Charlie ait quitté la pièce. Elle pivota vers celui qu'elle avait considéré jusqu'à présent comme un valet d'écurie. L'homme qu'elle n'avait cessé d'admirer depuis qu'elle avait pénétré dans les dépendances du château, avec qui elle avait bavardé sans retenue et à qui elle avait confié ses opinions les plus profondes sur la vie.

— « Votre Altesse » ? répéta-t-elle en fronçant les sourcils.

— Je suis désolé, je n'ai pas encore eu l'occasion de me présenter.

L'homme inclina la tête, mais ses yeux bleus, dans lesquels brillait une lueur malicieuse, demeurèrent rivés aux siens.

— Prince Maxim Stephan Henry Thorne.

2.

Maxim vit les yeux bruns de la belle Américaine s'assombrir. Et une fois de plus il regretta amèrement le maudit marché qu'il avait conclu avec son père, l'année précédente. Pourquoi diable accepter d'épouser une des jeunes femmes de la noblesse, si terriblement fades, quand il existait des créatures aussi séduisantes que celle-ci ?

Il n'avait encore jamais rencontré de femme dotée d'autant de perspicacité et d'intelligence que Francesca. D'ordinaire, ces qualités ne l'attiraient pas spécialement mais avec elle... tout était différent.

Il l'enveloppa d'un long regard. Elle était assise là, dans la lumière, ses traits à la beauté remarquable illuminés par un rayon de soleil, visiblement perturbée par ce qu'elle venait d'apprendre à son sujet. De longues boucles blondes et brillantes lui caressaient les épaules. Elle avait un visage en forme de cœur, des pommettes hautes et légèrement saillantes, une peau veloutée. Son corps mince présentait d'agréables courbes féminines. Quand il s'était effacé pour la laisser entrer dans le bureau, quelques minutes plus tôt, il s'était senti traversé par une flèche de désir qui lui avait enflammé le corps.

Mais ce qui lui plaisait le plus chez elle, c'était sa bouche aux lèvres roses et sensuelles.

22

— Votre Altesse ? prononça-t-elle d'un ton sec qui le tira de sa rêverie.

— Oui, docteur ?

— Vous m'avez bien eue.

— Oui, concéda-t-il avec un hochement de tête.

— Cela ne me plaît pas du tout, dit-elle avec gravité. On s'est assez moqué de moi pendant mon enfance, aussi je ne suis pas prête à l'accepter maintenant. Que cela vienne d'un prince *ou* d'un valet d'écurie.

Maxim la considéra, de plus en plus amusé. Personne n'avait jamais osé lui parler de cette façon. Les femmes ne le réprimandaient jamais. Elles flirtaient ouvertement avec lui, le couvraient de compliments et ne se faisaient pas beaucoup prier pour coucher avec lui.

— Je suis désolé.

Elle eut un moment d'hésitation et il se demanda si elle n'allait pas l'envoyer promener, lui et ses excuses. Mais elle n'en fit rien.

— Vous étiez en train de ramasser du foin, fit-elle remarquer avec perplexité.

— Cela me distrait, rétorqua-t-il en haussant les épaules.

— Cela vous distrait de quoi ? De votre vie de château ?

— Aucune vie n'est parfaite, docteur.

Fran soupira, renonçant à répondre à cela.

— Que suis-je censée faire, à présent ? s'enquit-elle.

— Je ne suis pas sûr de comprendre votre question.

— Vous ne vous imaginez tout de même pas que je vais me lever et faire la révérence, après ce que…

— Il n'en est pas question ! s'exclama Maxim en se levant. Du moins, pas pour l'instant.

— Vous voulez dire, jamais !

Francesca bondit sur ses pieds avant que Maxim ait eu le temps de lui tendre la main pour l'aider à se relever.

— Peut-être qu'à la cour, ou devant mon père, vous accepterez au moins… d'incliner la tête ?

Fran marqua une pause.

— Nous verrons.

— Merci, répondit-il avec un large sourire.

Ils se tenaient face à face. Francesca était grande, presque aussi grande que lui. La taille idéale, songea-t-il. Il n'aurait qu'à se pencher très légèrement pour…

— Il faut que je sache, déclara-t-elle en croisant les bras sous ses seins ronds. Pourquoi ne m'avez-vous pas dit qui vous étiez ? C'était un jeu ? Une autre façon de vous distraire ?

Elle était tout près de lui. Si près qu'il sentait la chaleur de son corps, respirait les effluves sucrés de son parfum.

— A vrai dire, j'avais envie de savoir quel effet cela faisait d'être… anonyme.

— Et alors ?

— C'était stimulant.

— Ravie d'avoir pu vous rendre ce service.

— Vous êtes sûre que vous n'allez pas me considérer autrement, maintenant que vous savez qui je suis ?

— Vous venez de me prouver que vous n'étiez qu'un farceur. Si je vous traitais comme un prince, ma conscience et ma dignité en souffriraient terriblement.

— Ce serait vraiment dommage.

Avec un sourire en coin, Maxim se dirigea vers l'autre bout de la pièce et prit sur le bureau un dossier qu'il avait étudié dans la matinée, avant d'aller se détendre dans l'écurie.

— Je suis enchanté d'avoir fait votre connaissance, docteur, dit-il en se retournant vers Francesca. Je suis certain que nous aurons le plaisir de nous revoir.

— Et qui serez-vous lors de notre prochaine rencontre ? s'enquit-elle avec un petit rire.

Maxim haussa un sourcil.

— J'ai toujours eu envie de me lancer dans la maçonnerie.

— Je suis sûre que ce travail vous ira très bien.

— Quoique… cela m'éloignerait trop des écuries à mon goût, déclara-t-il en esquissant un sourire.

Puis, la saluant d'un petit signe de tête, il s'apprêta à sortir.

— Votre Altesse ?

Maxim s'immobilisa et jeta un coup d'œil en arrière.

— Ce titre me semble bien pompeux après notre petit tête-à-tête informel, dit-il.

— Dois-je vous appeler prince Maxim ?

— Que penseriez-vous de Maxim, tout simplement ?

Fran sourit et rétorqua :

— Et pourquoi pas Max ?

— Non, je ne pense pas que cela irait.

La jeune femme le tint un moment sous le charme de son sourire. Il était fasciné. Il valait mieux qu'il s'en aille tant qu'il en était encore capable, songea-t-il.

— Au revoir, Francesca.

Esquissant une parodie de révérence, celle-ci lança :

— Au revoir, Max.

Pour la première fois depuis très longtemps, Maxim rit de bon cœur. Il continua de rire après avoir quitté la pièce, tout en traversant le long corridor qui menait au palais et vers ses appartements.

Enfermée dans la luxueuse chambre toute décorée de bleu qu'on lui avait attribuée dans l'aile est du château, Francesca observa son reflet dans un haut miroir et leva les yeux au ciel.

Ce qui la désolait, ce n'était pas sa robe aux jolis tons chocolat, ni les bottines assorties qu'elle avait chaussées. Ni même encore ses cheveux relevés en chignon. Un des techniciens du laboratoire lui disait toujours que cette coiffure lui donnait l'air coquin.

Non, si elle levait les yeux au ciel, c'était à cause de l'espoir qui venait de surgir dans son cœur. L'espoir de revoir tout à l'heure un certain prince…

Mon Dieu… Un prince !

Est-ce qu'elle était devenue folle ? Etait-ce l'air trop pur de Llandaron qui lui faisait tourner la tête ? Elle qui d'ordinaire était si raisonnable, qui avait l'esprit si critique ! Même en admettant qu'elle oublie un instant que Max appartenait à une famille royale et qu'il vivait dans une île de conte de fées… ne pouvait-elle donc penser un peu à Dennis ? Certes il n'y avait pas réellement d'engagement entre eux. Toutefois, avant son départ, il lui avait demandé de l'épouser. Et elle lui avait promis de réfléchir à sa proposition. Ils n'étaient pas vraiment amoureux. A vrai dire, ils ne croyaient ni l'un ni l'autre à l'amour. D'ailleurs, Dennis lui aussi avait été brûlé… par l'équivalent féminin du beau parleur qui avait si cruellement déçu Francesca.

Par conséquent, Dennis et elle n'étaient pas des romantiques. Ils étaient avant tout des scientifiques.

Et s'ils étaient devenus tout de suite de très bons amis, c'était justement parce qu'ils partageaient les mêmes points de vue sur la vie et poursuivaient la même carrière. De cette façon, on pouvait espérer qu'étant les meilleurs amis du monde, ils formeraient un couple indestructible et étroitement soudé.

Mais il avait fallu qu'elle vienne ici… et tombe nez à nez avec le prince charmant en personne !

L'image de Max s'insinua dans son esprit. Ces yeux, ces lèvres, ces gestes…

Etait-il marié ? A peine cette pensée lui eut-elle traversé l'esprit qu'elle fut parcourue d'un frémissement et se détourna du miroir. La situation familiale de Son Altesse Royale ne la regardait pas. Rien de ce qui le concernait ne la regardait, en vérité. Elle était là pour s'occuper de Glinda et de ses chiots, un point c'est tout. De toute façon, il y avait de grandes chances pour qu'elle ne le

26

revoie jamais. D'ailleurs, il avait lui-même ses affaires... un royaume à faire tourner, non ? Il n'avait sûrement pas le temps de traîner tous les jours dans les écuries pour discuter avec une roturière de Californie.

En parlant de temps... Fran consulta sa montre. Il était 5 h 55.

Elle avait fait la connaissance du roi un peu plus d'une heure auparavant. C'était un fringant vieillard aux allures bourrues, dont les yeux bleus pétillaient d'intelligence, comme ceux de son fils. Après que Fran lui avait fait un rapport complet sur la santé de Glinda — santé au demeurant excellente —, il avait invité la jeune femme à dîner avec lui à 6 heures en lui recommandant de ne pas être en retard.

« Seigneur ! » songea-t-elle en se précipitant dans le long corridor qui menait au grand hall. Elle n'avait pas envisagé une minute qu'il lui faudrait dîner avec le roi de Llandaron. Elle qui pensait qu'on lui monterait chaque soir un plateau dans sa chambre ! Ou encore qu'elle prendrait ses repas à l'office avec le reste du personnel du château...

Tandis qu'elle descendait les dernières marches de l'escalier, une silhouette mâle et imposante pénétra dans le grand hall. Les battements de son pouls s'accélérèrent follement.

— Bonsoir, Francesca.

Elle eut du mal à contenir le frémissement qui la fit tressaillir. Elle fit un violent effort pour l'ignorer et articula :

— Bonsoir, M...

Mais les mots moururent sur ses lèvres lorsqu'elle leva les yeux et considéra le prince à l'allure superbe qui se tenait au centre du hall de marbre.

Elle prit appui du bout des doigts sur la rampe, en l'enveloppant longuement du regard. Dire qu'il était beau, c'était rester encore très en deçà de la réalité. Elle aurait aimé laisser glisser les doigts dans ses cheveux d'un noir de jais, plonger dans la profondeur de ses yeux bleus et s'y noyer… Le jean et le T-shirt qu'il portait dans la journée avaient disparu. Ils avaient été remplacés par une chemise blanche immaculée, une veste noire et un pantalon dont la coupe splendide aurait fait pâlir les meilleurs tailleurs londoniens.

En l'occurrence, ce fut Fran qui pâlit, puis soupira. Des pensées folles s'emparèrent de son esprit et lui donnèrent le vertige. « Voilà ce dont je rêvais pour dîner ! »

— Vous êtes très belle ce soir, docteur, dit Max en laissant son regard errer sur sa silhouette. Accepterez-vous un chevalier servant pour vous escorter ?

Pendant quelques brèves secondes elle s'imagina à côté de lui, glissant une main sous son bras, sentant ses muscles durs et virils se tendre sous ses doigts… L'image s'évanouit comme par enchantement.

— Merci, dit-elle, mais je me débrouillerai seule.

Max haussa un sourcil étonné.

— Vous réagissez comme ça uniquement avec moi, ou bien avec tous les hommes qui font preuve d'un soupçon de galanterie ?

— Non, juste avec vous.

La réponse fusa sans qu'elle ait eu le temps de peser ses paroles et elle craignit un instant de l'avoir offensé. Mais Max sourit de son effronterie.

— Venez avec moi, ordonna-t-il en se dirigeant vers la porte tenue ouverte par un vieux serviteur stoïque, en livrée noire.

Fran regarda la porte, puis reporta son attention sur Maxim.

— Avec vous ? Où ça ?

— Dehors.

— Mais le roi m'a invitée à…

— Mon père est en conversation téléphonique avec le président de Lituanie. Il m'a chargé de vous transmettre ses excuses et m'a prié de vous tenir compagnie à sa place et de vous divertir.

— Oh, vraiment ? répliqua-t-elle sobrement.

Elle était calme en apparence, mais son cœur battait la chamade. La divertir ? De quelle façon comptait-il la divertir ? Elle vit ses belles lèvres pleines esquisser un sourire.

— Ne soyez pas si méfiante. Je promets de ne plus vous jouer de tours.

— Dans ce cas, c'est bien, dit-elle en s'avançant vers lui. Je meurs de faim.

— Votre confiance me flatte, ajouta-t-il avec un petit rire.

— Où allons-nous ?

Peut-être allait-il l'emmener en ville ? Elle avait lu dans les guides que le royaume regorgeait de délicieux restaurants et de glaciers. Mais les membres de la famille royale pouvaient-ils se permettre d'aller dîner en ville ?

— Je vous emmène au phare, dit-il en s'effaçant pour la laisser franchir la porte.

La phare ? Probablement le genre de restaurant où l'on servait des crustacés et… Francesca s'immobilisa, stupéfaite, devant la porte. Des nuages d'un blanc laiteux avaient envahi le ciel, dissimulant le soleil couchant, et s'étaient répandus dans le parc qui entourait le château.

— Que s'est-il passé ? s'exclama-t-elle en riant, tandis que des volutes de brume blanches s'enroulaient autour de son corps comme un tulle.

— C'est le brouillard.

— Le brouillard ? Mais le soleil brillait il y a quelques heures et je n'ai vu aucun nuage dans le ciel. A quel moment ce changement de temps a-t-il eu lieu ?

Elle pivota sur elle-même et sentit la caresse froide et humide de la brume contre sa peau.

— Ce brouillard est aussi épais que du coton. On ne voit pas à deux mètres devant soi !

Maxim lui prit la main et déclara :

— Vous en prendrez vite l'habitude.

— Vous… croyez ? s'enquit-elle d'une voix faible.

Le contact de sa main large et virile l'avait comme paralysée. Sans doute aurait-elle dû se dégager ? Lui faire comprendre clairement qu'il valait mieux tenir ses distances ? Elle n'en fit rien. Oubliant qu'elle n'avait emporté ni veste ni sac à main, elle se laissa guider sur la pelouse. Ils s'éloignèrent du château.

— Quand mes ancêtres arrivèrent dans cette île, commença son compagnon, il fut décidé entre les deux familles d'ascendance royale, les Thorne et les Brunnell, que leurs enfants aînés étaient promis l'un à l'autre. Mais la fille des Thorne, qui se nommait Sana, tomba profondément amoureuse d'un marin. Son père lui interdit de le revoir, mais la veille de son mariage avec le fils des Brunnell, Sana mit fin à ses jours.

Les doigts de Maxim resserrèrent leur pression sur ceux de Francesca.

— Ce fut ce soir-là que le brouillard s'abattit pour la première fois sur l'île de Llandaron.

— Est-ce une légende ? demanda Fran d'une voix chargée d'appréhension.

— Non. C'est un fait historique, répondit Maxim en l'aidant à contourner un gros rocher. Depuis ce jour, le brouillard apparaît chaque soir à 6 heures et se dissipe environ une heure plus tard. Les gens disent que c'est Sana qui a voulu accorder ce moment de secret à tous les amoureux malheureux. Pendant une heure, ils peuvent se rencontrer sans crainte d'être découverts.

Un vague émerveillement se répandit dans le cœur de Fran. Elle ne put s'empêcher de demander :

— Avez-vous déjà rencontré quelqu'un dans le brouillard ?

— Non, c'est la première fois aujourd'hui, dit-il en riant, tout en la guidant d'une main sûre à travers le parc.

Fran comprit qu'ils ne se dirigeaient pas vers la ville à l'instant où la senteur saline de l'océan lui fouetta le visage. Elle s'immobilisa et se tourna vers Max.

— Vous aviez pourtant promis de ne plus me jouer de tour !

Le regard du prince la transperça.

— Et je tiens parole, Francesca.

— Alors, pourquoi m'avez-vous emmenée jusqu'ici ?

— Parce que c'est ici que je vis.

Il la fit avancer de quelques pas. Alors, elle découvrit ce qu'il voulait lui montrer.

Les deux premiers étages du phare étaient à peine visibles dans le brouillard épais. Fran supposa que le bâtiment était très haut et imposant. Aussi imposant que l'homme qui l'habitait. Une lumière chaude et accueillante filtrait par la fenêtre, comme une invitation muette à pénétrer dans la maison.

Sans un mot, Max fit gravir à la jeune femme une volée de marches de pierre. Puis ils traversèrent une jetée et se retrouvèrent devant une massive porte de chêne, qu'ils franchirent.

— Vous habitez vraiment ici ? demanda Fran, stupéfaite. Pas dans le palais ?

— Je préfère vivre seul, répondit Maxim en lui relâchant la main.

La jeune femme éprouva une étrange sensation. D'une certaine façon, elle était presque soulagée de ne plus sentir ce contact chaud et solide sur ses doigts. Mais d'autre part, elle se sentit un peu déconcertée. Comme si une petite partie d'elle-même demeurait avec Maxim, bien que leurs doigts ne se touchent plus.

Elle suivit son compagnon dans l'escalier en spirale et ils aboutirent dans la vaste pièce du second étage. Les murs de pierre étaient en partie recouverts par des tapis persans. Deux canapés sombres et confortables se faisaient face, séparés par une table à café. La cheminée de marbre occupait presque tout un pan de mur. Celui-ci était percé d'un côté par de petites fenêtres dont la taille ne dépassait pas celle d'un écran d'ordinateur, tandis que dans un coin opposé de la pièce s'ouvrait une large baie vitrée, par laquelle filtrait la brise marine. L'air soulevait légèrement les sets et les serviettes brodés posés sur une table en acajou massif, sur laquelle on avait dressé avec goût de superbes couverts en or.

— C'est splendide, dit Fran. Vous avez merveilleusement décoré cet espace.

— Merci. C'est une tâche à laquelle je me suis attelé avec beaucoup d'amour. Quand j'étais enfant, ce phare me fascinait et je m'y réfugiais chaque fois que j'en avais l'occasion. Le jour où il n'a plus été utile pour la navigation, j'en ai fait ma demeure.

Tout en parlant, Maxim se dirigea vers la table et avança une chaise.

— Puis-je vous offrir un siège ? dit-il avec un sourire malicieux. Je promets de ne pas retirer la chaise pendant que vous vous asseyez.

Fran sourit et déclara avec ironie :

— J'apprécie votre délicatesse.

Le scénario était totalement surréaliste. Cette superbe table dressée rien que pour eux, face à l'océan ! Tout en prenant place sur le siège recouvert de soie, Fran s'adressa un sévère avertissement : elle ne devait pas oublier qui elle était et d'où elle venait. Et par-dessus tout, elle devait garder en tête que c'était un vrai prince qui était assis en face d'elle !

Au bout de quelques secondes, une femme aux cheveux grisonnants et au sourire agréable apparut dans la pièce. Elle disposa sur la table plusieurs plats qui laissaient s'échapper un merveilleux arôme. Francesca la remercia, puis se tourna vers Maxim et chuchota :

— Des cheeseburgers, des frites et de la bière ?

Il picora une frite dans le plat et lui fit un clin d'œil.

— Un repas américain préparé tout spécialement pour vous, car c'est votre première soirée loin de Californie.

Francesca éclata de rire et plaça la serviette brodée sur ses genoux. Des hamburgers et des frites servis dans des assiettes en or ! C'était trop drôle !

— Si vous préférez ne pas boire d'alcool, je peux demander des sodas, dit Max.

— Non, c'est très bien comme ça.

Maxim s'attaqua tout de suite au repas, mais Francesca laissa passer quelques secondes avant de l'imiter. Le prince de Llandaron saisit son cheeseburger et mordit dedans avec appétit, comme l'aurait fait n'importe quel Américain. Mais cet homme, en dépit des apparences, n'était pas un citoyen américain. Du sang bleu coulait dans ses veines. Et il fallait absolument qu'elle contrôle l'attirance qu'il lui inspirait. Elle ne faisait pas vraiment confiance à ce play-boy d'ascendance royale… et elle avait encore moins confiance en elle et en ses propres réactions !

— Quelque chose ne va pas, Francesca ?

Cette dernière leva vivement la tête.

— Pardon ?

— Vous ne mangez pas. On dirait que vous avez un souci. Quelque chose vous tracasse ?

Un souci… Francesca décida d'éluder la question et opta pour une conversation plus légère.

— Etes-vous déjà allé aux Etats-Unis ?

— Très souvent. Je possède plusieurs sociétés dans ce pays.

— Vraiment ? s'exclama Fran.

Son air étonné fit sourire le prince.

— Je travaille, Francesca. Comme n'importe quel citoyen du monde. Mes sociétés fabriquent des purificateurs d'air et d'eau pour les bâtiments de bureaux et les hôtels. D'aussi loin que je me souvienne, j'ai toujours eu conscience de l'environnement. Tout petit, je me disais que le monde et ses habitants devaient rester en bonne santé. C'était peut-être une pensée un peu étrange pour un enfant, mais rien n'a jamais pu m'en détourner.

Il pencha la tête de côté et ajouta, pensif :

— Je suppose que votre intérêt pour les animaux est apparu très tôt, également.

Francesca avala une petite gorgée de bière et acquiesça d'un hochement de tête.

— Ma vocation a surgi le jour où j'ai trouvé un bébé écureuil dont la patte était prise dans un piège. A partir de ce moment, je n'ai plus vécu que pour soigner les animaux blessés que je trouvais. J'ai installé des cages pour eux dans le jardin.

— La nouvelle a dû se répandre rapidement dans le royaume animal, j'imagine ?

— En effet. J'en suis venue à croire qu'ils me cherchaient car ils savaient que je leur étais entièrement dévouée.

— Bien sûr, qu'ils le savaient.

Max prononça ces mots avec une telle conviction que Fran marqua une pause. D'ordinaire, quand elle énonçait ce genre de remarque, les gens riaient ou pensaient qu'elle plaisantait. Ou pire encore, ils la prenaient pour une cinglée. Même Dennis se moquait d'elle lorsqu'elle prétendait sentir ce que ses petits patients éprouvaient.

— Donc, vous êtes allée à l'école vétérinaire…, dit Max en saisissant son verre de bière. Et puis ?

— Et puis, Dennis et moi avons ouvert notre clinique.

— Dennis ?

— C'est mon… euh… eh bien, c'est un ami très proche. Quelqu'un de très bien, vraiment.

Francesca se sentit tout à coup l'air idiot. Pourquoi ne lui expliquait-elle pas tout simplement qu'elle était — presque — fiancée avec Dennis ?

— Dennis est… C'est un homme très compétent. Il a l'esprit pratique et il est génial avec les animaux.

— Ce doit être quelqu'un de très ennuyeux.

Fran secoua vivement la tête.

— Pas du tout, il n'est pas ennuyeux. Il est…

— Oui, je sais. Il est compétent et il a l'esprit pratique.

Fran coula à Maxim un regard en coin.

— Un homme n'a pas besoin d'être riche, beau et de sang royal pour plaire à une femme, vous savez.

Il darda sur elle un regard d'un bleu pur et demanda :

— Vous me trouvez beau ?

Elle aurait donné n'importe quoi pour pouvoir détourner les yeux. Mais il la tenait comme prisonnière de son regard. Elle aurait pu mordre à belles dents dans son hamburger, pour dissiper la tension qui s'était installée entre eux. Mais elle avait perdu son appétit. Ou du moins, son appétit pour la nourriture. Il fallait qu'elle s'éloigne de cet homme, de l'aura de sensualité qui émanait de sa personne.

— Je… Je n'ai plus faim, déclara-t-elle en se levant et en posant sa serviette sur la table. En fait, je suis très fatiguée. J'ai fait un grand voyage, la journée a été longue et je ne souhaite pas que la nuit le soit également…

Elle s'interrompit au milieu de sa phrase, comprenant que ses paroles risquaient d'être mal interprétées.

Maxim se contenta de sourire.

— Je vais vous raccompagner.

— Je retrouverai mon chemin, fit-elle en se tournant vers la fenêtre. Le brouillard s'est dissipé.

Mais cet homme était un prince et un vrai gentleman. Il mit donc un point d'honneur à la raccompagner. Grâce au ciel, il n'alla pas jusqu'au seuil de sa chambre. Car pour la première fois depuis des années — depuis sa rencontre avec un certain beau parleur — Francesca éprouva une sorte d'élan extravagant. Elle n'était pas sûre d'être capable d'y résister. Et si elle allait saisir Max par les revers de sa veste et l'attirer vigoureusement à l'intérieur de la chambre ?

— Alors, vas-tu te décider à l'épouser ?

Maxim venait tout juste de quitter Francesca, dans le grand hall où ils s'étaient rencontrés un moment auparavant. Il était à cran, tiraillé par un désir qu'il aurait mieux fait d'ignorer. Ce n'était vraiment pas le moment d'avoir une discussion avec son père. Difficile, cependant, de passer devant la porte de la bibliothèque sans lui adresser la parole. Il s'arrêta donc sur le seuil et lança :

— Epouser qui ?

— La duchesse de Claymore.

— Non.

L'unique nuit qu'il avait passée avec cette femme lui avait suffi.

Le roi soupira lourdement et se renversa dans son fauteuil.

— Faut-il que je te rappelle que nous avons conclu un marché ?

Un muscle tressauta sur la mâchoire de Maxim.

— C'est inutile, je ne le sais que trop.

— Nous avons eu cette conversation il y a exactement onze mois, ici même. Je t'ai expliqué qu'il était capital que mes deux fils se marient. Je t'ai donné un an pour choisir une épouse. Je me rappelle parfaitement t'avoir vu hocher la tête en signe d'approbation.

Le roi ôta ses lunettes et considéra son fils d'un air grave.

— Tu ne disposes plus que d'un mois, Maxim. Si d'ici là tu n'as pas trouvé une épouse convenable, je la choisirai à ta place. Et ce ne sont pas des paroles en l'air.

— Je n'ai rencontré personne avec qui je souhaite partager ma vie, père, énonça Maxim d'un ton froid et mesuré. Je suggère que nous laissions tomber cette discussion avant de perdre tous deux notre calme.

— Je ne renoncerai pas. Ton frère est marié depuis cinq ans maintenant et il n'a toujours pas d'héritier. Il s'agit de faire ton devoir Maxim et tu le sais. Tu te dois à ton pays. Si tu aimes vraiment Llandaron, tu feras ce qu'il faut.

Une vague de pure colère déferla dans le cœur de Maxim. Il contempla fixement l'homme qui venait de provoquer cette rage froide… un homme qu'il aimait et respectait profondément. Cet homme avait eu la chance de tomber amoureux de la femme qui était devenue son épouse et la reine de Llandaron. Comment pouvait-il vouloir priver ses propres enfants du même bonheur ?

Cinq ans auparavant, quand son frère Alex s'était marié, Maxim avait cru être libéré de la menace qui pesait sur lui en tant que prince héritier : être obligé d'épouser une femme pour laquelle il n'éprouvait aucun sentiment. Mais quand au bout de trois ans de mariage, Alex et sa jeune épouse n'avaient toujours pas eu d'enfant, Maxim avait compris ce qui l'attendait. Llandaron était un petit pays. Le royaume vivait dans la crainte constante de se voir envahi et absorbé par ses voisins plus grands et plus puissants. Or, l'île tenait par-dessus tout à son autonomie. Ses habitants voulaient être gouvernés avec sagesse par une famille royale stable.

Mais bon sang, non ! Il n'épouserait pas une femme qu'il n'aimait pas. Et comme, à trente-cinq ans, il n'avait encore jamais aimé une femme, il y avait très peu de chances que cela se produise dans le mois suivant.

Le roi secoua la tête en soupirant.

— Je ne te comprends pas. Le royaume regorge pourtant de jeunes femmes exquises parmi lesquelles tu pourrais dénicher l'heureuse élue.

Les mots prononcés quelques heures plus tôt par une jolie vétérinaire américaine retentirent dans la tête de Maxim.

« Nous n'avons qu'une seule vie. C'est ridicule de laisser les autres la contrôler à notre place. »

D'après elle, c'était à chacun de choisir la direction à donner à sa vie. Maxim se passa une main dans les cheveux. Les gens normaux avaient le choix. Mais était-ce le cas pour un prince ? Pour un homme qui aimait sincèrement son pays ? N'était-il pas contraint de sacrifier ses désirs personnels aux besoins de son pays ?

— Ne te fais pas d'illusions, Maxim, déclara le roi avec fermeté. Dans trois semaines, le soir du bal masqué, il faudra que tu annonces le nom de l'épouse que tu as choisie. Sinon… c'est moi qui le ferai pour toi.

La mâchoire de Maxim se crispa. La volonté de son père était implacable. Il fallait qu'il trouve une épouse. Une épouse convenant à son rang…

Cette idée flotta un moment dans son esprit. Son père céderait-il si la femme qu'il choisissait n'était pas issue de la noblesse ?

Il leva les yeux et demanda d'un ton sec :

— Vous accepterez mon choix, père ?

— Naturellement, rétorqua le roi avec un hochement de tête.

Maxim souhaita une bonne nuit à son père et se retira. Dès l'instant où il avait posé les yeux sur le Dr Francesca Charming, il avait été intrigué, amusé et… bigrement attiré par la jeune femme. A l'idée qu'il parviendrait sans doute à la séduire, un sourire se forma sur ses lèvres et une onde électrique se propagea dans certaines parties de son corps.

S'il parvenait à ses fins, tout irait pour le mieux dans le meilleur des mondes.

Il allait tout à la fois mettre Francesca dans son lit et régler une bonne fois pour toutes avec son père cette ridicule question de mariage.

3.

Nimbée de lumière matinale, Glinda leva vers Francesca un regard brun suppliant.

— Ne t'inquiète pas. Tant que je serai là, tu seras en sécurité et tes bébés aussi, murmura Fran en caressant son épaisse fourrure.

La chienne se détendit, s'allongea sur son tapis de velours et, les yeux mi-clos, contempla la jeune femme. Celle-ci aurait aimé pouvoir s'installer à côté de l'animal et rattraper un peu le sommeil qui lui manquait.

Elle n'avait pas beaucoup dormi, la nuit précédente. De minuit jusqu'à l'aube, des images de châteaux, de princes et de phares perdus dans le brouillard avaient hanté son esprit, tournoyant comme les personnages enchantés d'un dessin animé. Puis, alors que le soleil commençait à pointer à l'horizon, elle avait sombré dans un sommeil lourd et sans rêve. Il était près de 8 heures quand elle s'était éveillée dans son immense lit de chêne, un véritable « king-size » ! Car elle avait eu droit à un lit de taille royale, dans le royaume de Llandaron. Après avoir littéralement sauté hors du lit, elle s'était précipitée vers les écuries.

Francesca se mit à rire toute seule, tout en remplissant d'eau fraîche l'écuelle de Glinda. Des draps de soie, des oreillers de satin… Tout ça pour quelqu'un qui dormait en pyjama de flanelle ! Quelle ironie…

— Comment va votre patiente aujourd'hui, docteur ?

Fran sursauta et manqua renverser l'eau de l'écuelle. La voix de baryton du prince l'avait enveloppée comme une cape enchantée et la tenait sous son charme.

Debout sur le seuil, sobrement vêtu d'un jean bleu foncé, d'une chemise blanche et d'un blazer noir, le prince Maxim la dévisageait avec un sourire plein d'assurance. Fran sentit ses joues se teinter de rose.

— Vous me paraissez un peu nerveuse ce matin, docteur.

Il se dirigea vers Glinda d'un pas nonchalant et lui tapota gentiment la tête.

Fran surveilla le prince du coin de l'œil. Elle vit la toile du jean se tendre sur ses hanches tandis qu'il se penchait vers la chienne, et mettre en valeur la musculature de ses cuisses.

— Vous m'avez fait peur ! Je trouve votre arrivée impromptue un tout petit peu sournoise.

Maxim lui lança un regard en coin.

— Un tout petit peu ?

— A vrai dire, j'essaye d'être polie. Vous savez, comme vous êtes le souverain et tout…

— Sur le plan légal, je ne suis pas souverain. C'est mon père qui règne sur le pays. Mais je comprends ce que vous voulez dire.

Il se redressa et marcha vers Francesca, une lueur d'amusement dans les yeux.

— Vous craignez que je vous fasse arrêter et emprisonner dans le donjon ?

Fran leva le menton d'un air effronté.

— Je n'ai peur de rien. Même pas de me trouver enfermée seule dans…

— Je n'ai jamais dit que vous y seriez *seule*.

Le sourire du prince s'élargit. Fran eut l'impression que de la lave en fusion se répandait dans ses membres soudain sans force.

Pourquoi… *pourquoi* perdait-elle tous ses moyens chaque fois que cet homme l'approchait ? Ce n'était pas juste. Elle parvenait à contrôler tous les aspects de sa vie, ses émotions, ses besoins. Mais ici, dans ce pays de conte de fées, face à un prince séducteur, elle était réduite à… un méli-mélo d'hormones féminines.

Maxim leva les sourcils d'un air interrogateur.

— Eh bien… voulez-vous que nous allions déjeuner ?

Fran laissa son regard errer autour d'elle puis se fixer sur Glinda.

— Je pense que je vais juste me contenter de partager le repas de Glinda.

— Le mélange spécial de Charlie, on dirait ?

— En effet. Il l'a apporté il y a quelques minutes.

Max approuva d'un hochement de tête.

— Carottes, poulet…

— Cela a l'air délicieux ! s'exclama Fran.

— Il y rajoute du foie de temps à autre.

— Euh… finalement, je m'abstiendrai, dit Fran avec un petit rire.

Max ne se trouvait qu'à très peu de distance d'elle. Son corps dégageait une impression de chaleur et de puissance qui faisait chavirer les sens de la jeune femme. Son regard bleu se promena un moment sur son visage et finit par croiser ses yeux.

— Que diriez-vous d'un plateau d'huîtres de Llandaron accompagnées de pain frais et de fromage ?

Le souffle court, la gorge serrée, Francesca parvint tout de même à articuler :

— Vous voulez dire : pour remplacer le mélange spécial « carottes-poulet-foie » de Glinda ?

Un sourire narquois se dessina sur les lèvres du prince.

— Vous avez passé toute la matinée avec Glinda, docteur. Vous ne pensez pas qu'elle peut rester seule pendant un petit moment ?

— Je suppose que oui. Pour tout dire, j'ai de la lecture en retard.

Elle fit un effort pour ne pas inhaler son parfum, un parfum poivré, masculin, envoûtant, qui lui seyait à merveille. Mais comment lutter contre l'inévitable ? C'était peine perdue.

— Je suis en train de lire une étude très intéressante sur le comportement canin.

Maxim hocha la tête avec une feinte gravité.

— Je ne sais pas si mon invitation fera le poids contre une telle concurrence.

— Mais vous avez peut-être un avis très précis à donner concernant l'usage des médications de préférence aux collerettes qui empêchent les chiens de se lécher en cas d'eczéma ?

— Tout ce que je peux vous proposer c'est de faire le tour de Llandaron, puis un pique-nique au bord de l'océan, suivi d'une visite à la Gershin's Taffy Shop.

Fran écarquilla les yeux.

— La Gershin's Taffy Shop ? répéta-t-elle avec un intérêt soudain.

Elle avait lu un article sur cette boutique de confiserie dans son guide. Le texte était accompagné d'une photo. Ce drôle de petit magasin, avec sa devanture en briques rouges et ses fenêtres entourées de givre, évoquait irrésistiblement un tableau de Norman Rockwell.

— Cela vous intéresse ?

Francesca soupira. Elle était perdue, complètement prise au piège. A croire que Dieu et le diable s'étaient ligués contre elle ! Et dieu et diable voulaient réduire à néant le côté rationnel et raisonnable du Dr Charming pour l'obliger à s'envoler sur les ailes du rêve et des fantasmes.

Bien sûr, la proposition du prince charmant l'intéressait au plus haut point. Tout ce qu'il venait de suggérer était merveilleusement tentant. Mais quelles en seraient les conséquences ? Il y aurait plus d'échanges de regards langoureux, plus de bavardage ensorcelant… et elle se laisserait enivrer par cette attirance, sombrerait dans cette perte de contrôle qui la submergeait chaque fois que son désir semblait sur le point de se réaliser.

Comment diable maîtriser des réactions qui n'étaient pas contrôlables ? Sans doute ferait-elle bien de se souvenir de sa dernière expérience avec un irrésistible don Juan ?

Fran plongea le regard dans des pupilles d'un bleu limpide et déclara d'une voix ferme :

— Non, je pense que votre offre ne m'intéresse pas.

— Quelque chose me dit que vous réfléchissez trop, docteur.

Il y avait trop de perspicacité dans cette remarque. Fran baissa les yeux et se réfugia prudemment auprès de Glinda. Cependant, elle ne put refréner sa curiosité et s'enquit :

— Pourquoi faites-vous cela, Majesté ? Je ne suis pas votre invitée. Simplement une employée rémunérée pour prendre soin de votre chien.

Afin de se donner une contenance, elle ramassa le bol de Glinda qui était pourtant encore plein d'eau fraîche et se dirigea vers l'évier.

— Je veux dire… vous avez certainement des occupations, du travail, non ?

— J'ai toujours du travail, rétorqua sèchement le prince. Comme vous, je suppose. Je pourrais ne jamais cesser de travailler.

Fran vida le bol et réprima un soupir.

— Glinda risque d'avoir besoin de moi. Comment faire ?

— Je demanderai à Charlie de m'appeler sur mon téléphone cellulaire s'il y a un problème.

Cet homme avait réponse à tout. Rien d'étonnant, songea Fran. Il avait l'habitude d'obtenir ce qu'il voulait.

— Mais il ne devrait pas y en avoir, reprit-il d'une voix assurée. La naissance n'est pas prévue avant une semaine, n'est-ce pas ?

— En effet, mais…

— Pas de mais ! C'est seulement l'affaire de deux heures.

Tout en remplissant le bol d'eau fraîche, Francesca se mordilla les lèvres. Max n'admettrait pas de refus. Mais pour être franche, elle-même n'avait aucune envie de dire non !

— Francesca, dites-vous que vous venez d'être transportée au pays des merveilles.

La jeune femme se tourna vers le prince. Une lueur de défi brillait dans ses yeux bleus.

— Puisque vous tenez à faire vos choix dans la vie, faites-en un tout de suite, reprit-il. Décidez de profiter de votre séjour ici et, pour une fois, de vous distraire sans scrupule.

Fran alla poser le bol à côté de la chienne.

— Ecoutez, Max, j'ignore ce que vous croyez savoir à mon sujet, mais je n'ai jamais eu de scrupule à…

— Je suis content de l'apprendre !

Un sourire joua sur les lèvres sensuelles du prince qui offrit avec solennité son bras à la jeune femme, tel un personnage sorti tout droit d'un roman d'amour historique.

— La voiture est prête. On y va ?

Une vague d'excitation saisit Francesca. Elle eut l'impression de rugir intérieurement, comme une lionne en cage à laquelle quelques heures de liberté venaient d'être offertes. Mais il n'était pas question de laisser deviner cela au prince Max. Cet homme avait déjà beaucoup trop de pouvoir sur elle ! Elle l'enveloppa donc d'un regard froid, passa devant lui et sortit du bureau en murmurant, avec une feinte irritation :

— Ces gens de la haute ! Habitués à ce que tout le monde plie toujours devant eux…

Pour séduire l'adorable Francesca Charming, songea Maxim en se garant, il fallait qu'il l'oblige à ôter ses fameuses lunettes à infrarouge et qu'il lui fasse voir la vie en rose dans son île enchantée.

Il avait laissé la limousine au château et choisi un véhicule moins conventionnel pour lui faire faire le tour de Llandaron. La vieille Mustang rouge cerise qu'il avait passé un été entier à remettre en état, avec l'aide d'un des hommes de la garde royale, l'année de ses vingt et un ans. Maxim n'avait encore jamais emmené une femme se promener dans sa voiture personnelle. Après tout, sa Ford Mustang décapotable 1965 était pour lui une sorte d'objet sacré. Mais grâce à cette femme, il allait sans doute échapper à un avenir désespérant. Il pouvait donc bien faire une exception pour elle.

Et puis il fallait reconnaître qu'elle faisait un effet formidable dans cette décapotable ! La brise de mer faisait voleter ses cheveux blonds autour de son visage et son rire impertinent tintait agréablement aux oreilles du prince, tandis qu'il filait à toute allure sur la petite route de la corniche.

— Est-ce que vous ne devriez pas être accompagné de gardes du corps, ou quelque chose comme ça ? s'enquit Fran lorsque Maxim lui ouvrit sa portière.

— Ils sont là, assura-t-il sobrement.

La jeune femme regarda autour d'elle.

— Mais où ?

— Ils restent à bonne distance, expliqua-t-il en souriant. Comme je le leur ai demandé.

— Ah ! Et sont-ils censés vous garder juste *vous* ? demanda-t-elle encore en sortant de la voiture. Ou bien gardent-ils aussi les gens qui vous accompagnent ?

Max eut un petit rire et lui offrit de nouveau son bras.

— Ils veillent sur moi. Et moi, je veille sur vous.

— Mmm… voyons. Pourquoi est-ce que cela ne suffit pas à me rassurer ?

Une délicate rougeur envahit les joues de Francesca qui prit le bras que Maxim lui offrait.

Le prince et son invitée étaient maintenant au beau milieu d'une rue commerçante, le long de laquelle s'alignaient des boutiques et des petits hôtels de charme. Des voitures à chevaux, surtout destinées aux touristes, traversaient la chaussée de temps à autre. Il ne faudrait pas longtemps aux habitants de Llandaron avant de repérer la présence d'un membre de la famille royale dans cette partie animée de la ville. Maxim souhaitait d'ailleurs qu'il en soit ainsi, afin que la nouvelle soit au plus vite rapportée à son père.

Cependant, personne ne les dévisagea avec curiosité, ni même avec un tant soit peu d'insistance. Car le visage de Maxim et sa haute silhouette étaient connus dans ce quartier. Le prince se rendait fréquemment dans le centre de la ville ; il lui arrivait même de boire une bière au pub avec les gens du coin. Leur compagnie l'enchantait, et, quand il était avec eux, il avait l'impression de gagner la liberté qui lui manquait tant.

— Vous venez souvent ici, n'est-ce pas ? chuchota Fran.

— Pour moi, la vraie vie est ici, Francesca.

— Pas de château, pas de domestique, pas de protocole…

— Exactement.

Il lui prit la main et l'entendit inspirer avec difficulté lorsque leurs doigts se touchèrent. Les yeux de quelques passants se posèrent sur leurs doigts entrelacés. Maxim sourit intérieurement.

— De toute évidence, ces gens sont contents de vous voir, dit Fran en reprenant son souffle. La monarchie doit être très importante pour le pays.

— Vous n'avez pas idée.

Ils croisèrent une femme d'un certain âge qui vendait des fruits dans la rue. Quand son regard s'arrêta sur eux, elle fut si surprise qu'elle laissa échapper un panier de pommes qu'elle tenait sous son bras et les fruits s'éparpillèrent sur le trottoir. Sans même prendre le temps de réfléchir, Maxim se baissa pour les ramasser. Finalement, les gens n'étaient peut-être pas si habitués que ça à le croiser en ville. A moins que ce ne soit la présence de la jeune femme à ses côtés qui les surprît ?

— Oh, Son Altesse ne doit pas… Il ne faut pas…, bredouilla la marchande de quatre saisons.

— Je vous en prie, c'est naturel.

Maxim rassembla les fruits en quelques secondes et les replaça dans le panier. La vieille femme le remercia avec effusion, tandis que les passants les observaient et chuchotaient entre eux.

Quant à Francesca, elle se contenta de sourire en silence.

— Pourquoi me regardez-vous comme ça ? s'enquit Maxim.

Ils traversèrent la rue où flottaient les arômes entêtants du sucre, de la vanille et de la noix de coco.

— Pour rien. Je suis simplement… impressionnée.

Tout à coup, Fran se tut et retint son souffle. Maxim lui lança un regard de côté et vit que ses yeux bruns brillaient de joie et d'excitation. Elle contemplait fixement la vitrine de Gershin's Taffy Shop, l'atelier de confiserie.

— Regardez ! s'exclama-t-elle à mi-voix, pointant le doigt vers deux hommes qui extrayaient de longs rubans de caramel sombre d'une bassine de cuivre. Il faut que j'aille voir ça de plus près !

Et sans plus attendre, elle se précipita dans la boutique.

Avant que Maxim ait eu le temps de comprendre ce qui se passait, et surtout ce qu'elle avait l'intention de faire, Francesca se retrouva derrière la vitrine, à côté des deux ouvriers confiseurs. Elle lui fit de loin un petit signe de la main. Maxim sourit en secouant doucement la tête et la regarda prendre la place d'un des deux hommes. Avec de vrais gestes de pro, elle tira du chaudron un long ruban de caramel et l'enroula autour d'une baguette. Puis il la vit rire et parler avec les autres clients de la boutique.

Maxim se sentit empli d'admiration. D'admiration et d'envie. Certes, les habitants de Llandaron le respectaient. Ils l'accueillaient volontiers en ville et lui souriaient gentiment quand il entrait au pub pour boire un demi de bière. Mais jamais il ne pourrait s'amuser comme le faisait Fran en ce moment, rire et bavarder naturellement avec ces gens qui étaient aussi ses sujets.

Il était le prince. Pas un compagnon de jeu.

— Qui est cette fille, Majesté ?

Maxim lança un coup d'œil par-dessus son épaule. Ranen Turk se tenait derrière lui, vêtu de modestes habits. Ce vieil ami de son père approchait des soixante-dix ans. Il aurait pu s'habiller de soie et de cachemire, vivre dans une somptueuse villa au bord de la mer. Mais il était plus à l'aise dans les vieux vêtements de coton et préférait sa modeste maison de briques rouges dans le centre-ville.

— C'est la vétérinaire californienne, expliqua Maxim.

Les deux hommes s'éloignèrent de la vitrine de Gershin's et firent quelques pas dans la ruelle qui venait d'être rafraîchie par l'arroseuse municipale.

— Alors comme ça, vous avez emmené la vétérinaire faire un tour en ville ? s'exclama Ranen en étrécissant les yeux. C'est bien la première fois à ma connaissance que vous venez en ville avec une femme.

— Celle-ci s'occupe de la chienne préférée du roi.

Le vieil homme poussa une sorte de gloussement.

— Et c'est une beauté !

Maxim hocha la tête d'un air approbateur et ses lèvres pleines esquissèrent un sourire amusé. Mais Ranen se renfrogna presque aussitôt.

— C'est une beauté, mais elle ne me plaît pas. D'ailleurs, je n'aime pas les Américains.

48

Il arracha sa casquette de sur son crâne et la frappa d'un coup sec contre sa cuisse. Un nuage de poussière s'échappa du couvre-chef.

— Je n'arrive pas à croire que vous ne m'ayez pas fait confiance pour ce chien ! Il a fallu que vous fassiez venir une étrangère…

Tout en prononçant ces mots, il secoua la tête avec dépit.

— Le roi tenait à avoir un spécialiste, Ranen. Vous le savez très bien.

— Mais *je suis* un spécialiste !

Maxim sourit.

— Vous avez l'habitude de soigner les cochons, les chevaux et les poulets.

— Ben voyons, grommela le vieil homme. Je vous répète que je n'aime pas…

— Regardez, Max ! Ils nous ont offert cinq livres de caramel.

Francesca descendait la ruelle en sautillant. Ses yeux brillaient de joie comme si on venait de lui donner des lingots d'or et non de simples caramels.

— D'accord, j'avoue qu'en principe j'évite de manger du sucre. Mais ces gens étaient tellement adorables et leur caramel est si bon que je n'ai pas pu…

Ranen laissa échapper un ricanement de mépris.

Comme si elle sortait d'un rêve, Francesca se rendit compte que Max n'était pas seul.

— Oh, je suis vraiment désolée. Je n'avais pas vu…

Elle leva la tête vers le vieil homme et lui adressa un sourire plein de candeur.

— Bonjour. Je m'appelle Fran.

L'homme leva les yeux au ciel.

— Francesca, dit vivement Maxim. Je vous présente Ranen Turk, le vétérinaire de la ville.

— Je ne suis pas vétérinaire, rectifia aussitôt Ranen. Je me contente de veiller sur la santé des animaux. Tous les animaux, à part les chiens, apparemment. Je n'ai pas de diplôme comme vous, mademoiselle. J'ai appris mon métier sur le tas.

— Eh bien, c'est la meilleure école qui soit, à ce qu'on dit.

Francesca tendit la main au vieil homme avec un enthousiasme sincère.

— Je suis enchantée de faire votre connaissance, docteur Turk.

— J'aimerais pouvoir dire la même chose, miss.

— Enfin, Ranen ! s'exclama Maxim, outré.

Le prince s'attendit à voir Francesca rougir et demeurer muette sous l'insulte. Peut-être allait-elle même trouver une excuse pour retourner à la confiserie et s'éloigner ainsi de ce vieux ronchon de Ranen qui n'était pas capable de contenir sa rancœur !

Mais elle n'en fit rien. Eberlué, il la vit sourire aimablement et déclarer :

— Vous savez, monsieur Turk, vous me rappelez beaucoup mon grand-père.

Ranen laissa échapper une sorte de grognement.

— Ah oui ? C'est-à-dire ?

— Eh bien, il était très beau, extrêmement intelligent et…

La jeune femme baissa le ton pour ajouter avec un sourire suave :

— C'était un adorable casse-pieds.

Maxim étouffa une exclamation et jeta un regard en coin à Ranen. Celui-ci ouvrit la bouche, mais aucun son n'en sortit. Au bout d'un moment, le coin de ses lèvres se releva un peu en une grimace qui ressemblait vaguement à un sourire.

— Je pense que j'ai pu me tromper au sujet de cette petite, Maxim, dit-il en se tournant légèrement vers le prince.

— Merci, docteur Turk, rétorqua Francesca avec bonne humeur.

L'homme haussa un sourcil d'un air d'avertissement.

— J'ai dit que *j'ai pu* me tromper, ma petite. Inutile d'aller le crier sur les toits.

Une lueur amusée brilla dans les prunelles de Fran.

— Je vous promets de garder ça pour moi, affirma-t-elle en regardant Ranen droit dans les yeux. Vous êtes probablement très occupé, docteur. Mais j'aimerais beaucoup parler avec vous des animaux de Llandaron. Je parie que vous savez tout ce qu'il y a à savoir sur leur comportement.

Puis, se penchant imperceptiblement vers le vieil homme, elle chuchota :

— On devine à votre regard que vous avez une grande sagesse intérieure, docteur Turk. Vous le savez ?

— J'ai entendu cette remarque un grand nombre de fois.

L'homme vissa sa casquette sur sa tête et ajouta :

— Passez donc me voir si vous revenez faire un tour en ville. Et au fait, vous pouvez m'appeler Ranen.

Il tendit la main d'un air gauche. Francesca la serra chaleureusement et précisa :

— Moi, c'est Fran.

Si tous les habitants de Llandaron confiaient leurs animaux à Ranen, en revanche tous évitaient de le toucher à cause de son aspect peu engageant. Le vieil homme était perpétuellement hirsute et semblait préférer les bains de boue aux douches d'eau fraîche. Surpris par la spontanéité de la jeune femme, il sourit pour la première fois depuis le début de leur discussion et lui rendit sa poignée de main.

De plus en plus perplexe, Maxim secoua la tête. Ce vieux malotru de Ranen venait de succomber au charme de Francesca. Elle avait sur les hommes un pouvoir qu'elle ne soupçonnait même pas !

Et, Dieu lui pardonne, il brûlait d'explorer tous les aspects de sa séduisante personnalité !

Francesca regarda les vagues qui s'écrasaient sur le rivage rocheux avec une sorte d'avidité. A croire que la mer voulait prendre possession de la moindre parcelle de plage. Mais dans un sens, elle comprenait son désir irrésistible d'envahir Llandaron. Elle-même n'avait passé que deux heures dans cette petite ville enchantée, mais c'étaient les deux heures les plus merveilleuses qu'elle ait vécues depuis fort longtemps. Tout en arpentant les rues jalonnées d'arbres touffus, elle avait été gagnée par l'impression que la femme qu'elle était avait retrouvé un cœur d'enfant. Aujourd'hui, elle s'était sentie en harmonie avec chaque chose, chaque être qu'elle croisait, et pourtant elle n'était pas encore rassasiée de cette sensation.

— Je donnerais bien un morceau de caramel pour connaître le fond de votre pensée.

Fran adressa une petite grimace à son compagnon assis face à elle sur le plaid qu'ils avaient étalé sur l'herbe pour pique-niquer.

— Vous savez que j'ai dû manger à moi seule les trois quarts du caramel qu'ils nous ont donné ?

— Vous voulez dire qu'ils *vous* ont donné.

Elle secoua la tête en souriant. Une brise d'été légère et satinée les enveloppa un instant, puis retomba. Ils se trouvaient à quelques dizaines de mètres au-dessus de la plage, sous un vieil érable aux feuilles d'un blanc crémeux. Le prince Max avait choisi l'endroit idéal pour pique-niquer. Un endroit romantique à souhait, en fait. Mais il ne fallait pas penser à ça. Pour l'amour du ciel… un prince ! Un prince de sang ! D'accord, il se comportait comme un homme normal. Mais il n'était pas un homme comme les autres. Il ne fallait pas perdre cela de vue.

Il aurait été trop facile de tomber dans le piège…

Max se renversa contre le tronc d'arbre et mordit dans la cuisse de poulet qu'il tenait à la main.

— Mes sujets vous aiment bien, Francesca.

— Et je les aime aussi. Surtout Ranen.

Fran replia les jambes devant elle et, en soupirant lourdement, contempla la mer.

— Vous le connaissez bien ?

— Mon père était fils unique, expliqua Max. Son enfance fut très solitaire… jusqu'à sa rencontre avec Ranen.

Max observa une pause et jeta un coup d'œil à l'océan.

— Dès son adolescence, Ranen a commencé à s'occuper des animaux de ferme. Il venait au palais pour soigner une vache malade, une poule qui ne pondait plus. Quand il avait terminé son travail, mon père et lui restaient ensemble jusqu'au soir. C'est ainsi qu'ils devinrent d'inséparables amis. Aujourd'hui encore, ils jouent aux cartes ensemble tous les dimanches soir.

— Et pour vous, que représente Ranen ?

— Pour moi ? Il est l'oncle que je n'ai jamais eu.

Avec un petit soupir, Max poursuivit :

— Après la mort de ma mère, c'est lui qui nous a aidés à remonter la pente. Ranen est un homme bon. Il fait quasiment partie de notre famille.

Fran mordilla distraitement son morceau de poulet. Quel que soit son désir d'en savoir plus sur Max, elle s'interdit de poser davantage de questions au sujet de sa mère. Comment était-elle morte ? Comment Max avait-il réagi à cette mort vraisemblablement prématurée ? Tout cela ne la concernait pas. Elle changea donc délibérément de sujet de conversation.

— Llandaron est terriblement différente de Los Angeles.

— Comment ça ?

— Pour commencer, il y a des différences qui sautent aux yeux : pas de pollution, pas de circulation, pas d'agitation. Mais en dehors de cela, chacun ici semble connaître son voisin. C'est comme… eh bien, comme une famille en somme.

— Vous parlez comme Catherine.

Chaque muscle du corps de Fran parut se tendre instantanément. Qui était cette Catherine ? La jalousie n'était pas un sentiment que Francesca s'autorisait à éprouver. Surtout dans les circonstances présentes. Max était un gentleman et il l'avait emmenée en promenade aujourd'hui. Cela ne signifiait pas qu'elle l'intéressait sur un plan sentimental. Et même si par un hasard extraordinaire c'était le cas, elle ne pouvait en aucun cas se permettre de succomber à son charme. Oui, mais… il fallait quand même qu'elle en ait le cœur net.

— Qui est Catherine ?

— Ma sœur.

— Oh !

Elle poussa intérieurement un soupir de soulagement et rougit en voyant le sourire qu'arborait Max.

— Donc, vous avez un frère et une sœur ? demanda-t-elle nonchalamment en prenant dans le panier de pique-nique un friand aux légumes.

— Oui.

— Ils vivent ici ?

— Mon frère et sa femme vivent au palais, mais en ce moment ils sont au Japon.

— Pour visiter le pays ?

— Ce sont les invités personnels de l'empereur.

— Bien sûr, où avais-je la tête ? J'allais vous poser la question.

Max ne fit aucun effort pour réprimer un petit rire.

— Ma sœur fait une de ses tournées en Europe. Elle visite des hôpitaux et essaye de recueillir des fonds pour des œuvres charitables.

— Oh, je vois. C'est une battante, n'est-ce pas ?

— Vous n'avez pas idée de l'énergie qu'elle a !

— J'aimerais faire sa connaissance, dit Fran en riant.

— Elle a programmé un voyage en Californie au début de l'été. Vous la verrez peut-être à cette occasion.

— Peut-être.

L'idée qu'elle allait devoir quitter Llandaron la déprima tout à coup. Le cœur lourd, l'appétit coupé, elle reposa le friand dans le panier et retint un nouveau soupir. Folle ! Elle était folle à lier. A moins que ce ne soit Llandaron, avec son atmosphère enivrante et son prince de conte de fées qui lui ait jeté un sort. Elle était comme projetée dans un monde à part, merveilleux…

— Vous pensez à Darren ?

Fran le toisa avec sévérité.

— Son nom n'est pas Darren, mais Dennis.

— Ah, c'est vrai !

— En fait, je pensais à cette île. Une telle beauté… C'est troublant. Vous le savez ? ajouta-t-elle en souriant.

Le regard de Max se posa sur ses lèvres vermeil.

— Oui, je sais.

Un délicieux frémissement parcourut Fran. Elle n'était pourtant pas une dévergondée, elle ne faisait pas partie de ces gens qui ne recherchaient que le plaisir. Mais quand elle était avec Max, toutes ses pensées prenaient une tournure coquine. Rien d'incorrect bien sûr, pas de quoi choquer un homme ou une femme sans histoire. Mais elle était fiancée et Max était un prince… Si elle l'avait pu, elle se serait lavé l'esprit à l'eau et au savon pour se débarrasser de ces fantasmes !

— Avez-vous déjà embrassé ce Derek, Francesca ? demanda Max avec une parfaite placidité.

Le pouls de Francesca se mit à battre la chamade et une onde de chaleur la traversa de part en part. Mais elle parvint tout de même à rectifier, sans montrer son trouble :

— Il s'appelle Dennis.

Le regard de Max fouilla le sien.

— Vous n'avez pas répondu à ma question.

— Parce que ça ne vous regarde pas.

— C'est vrai.

Elle hocha la tête, en proie soudain à une vague nausée probablement causée par son trouble.

— Nous devrions y al…

Mais Fran ne parvint jamais au bout de sa phrase. Sans savoir comment, elle se retrouva allongée sur la couverture et sentit la laine rêche lui picoter la nuque. Son cœur s'emballa lorsque le corps chaud et viril du prince se coucha sur le sien.

L'esprit embrumé, en proie à un désir qu'elle ne parvenait plus à contrôler, elle leva les yeux vers Max. Un souffle séparait leurs lèvres. Il lui prit le visage entre ses mains dont elle éprouva la force et la chaleur. Et elle découvrit son regard… oh, ce regard ! Frissonnante, Fran oublia qui elle était, d'où elle venait. La passion brillait dans les prunelles bleues de Max. Et contre sa hanche, elle sentit se presser son sexe dur.

Le souffle court, elle attendit. Elle voulait… elle *avait un désir infini* de sentir ses lèvres se poser sur les siennes. Et finalement, lorsqu'elle ferma les yeux, ce qu'elle souhaitait si ardemment arriva. Les lèvres chaudes, sensuelles, avides de Max se pressèrent contre les siennes. Du bout de la langue, il les taquina, les tortura, jusqu'à ce qu'elles s'entrouvrent enfin pour lui livrer le passage.

Alors, il envahit sa bouche, l'explora lentement, la caressa avec une douceur infinie. Fran eut l'impression que toute force la désertait. Elle croisa les bras sur la nuque de Max et enfouit les doigts dans son épaisse chevelure brune.

Elle se laissa sombrer dans un océan de sensations, murmurant des mots sans suite, quelque chose qui ressemblait à : « Max, je t'en supplie… » Comme mues par une volonté propre, ses hanches se soulevèrent pour se presser contre le sexe dur de son compagnon.

Celui-ci s'écarta en poussant un grognement sourd, guttural. Fran le vit, comme dans un rêve, se soulever au-dessus d'elle, plantant solidement les mains de chaque côté de ses épaules. Sa mâchoire était crispée et une lueur de désir brillait au fond de ses yeux.

— J'ai eu envie de faire cela dès le premier instant où je t'ai vue, Francesca.

— Pour être franche… moi aussi, murmura-t-elle d'une voix tremblante.

Dans son esprit, la raison s'opposait au désir. Or, à cet instant précis, il n'y avait rien au monde qu'elle désirât plus que de faire l'amour avec le prince. Mais ce n'était pas un homme pour elle. Non, il n'y avait aucun doute sur ce point.

Il avait un pays à diriger. Et elle, la seule fois de sa vie où elle avait porté une couronne, c'était pour l'anniversaire d'une amie, quand elle avait cinq ans. Et la couronne était en papier doré ! Un gouffre sans fond séparait les mondes dans lesquels ils vivaient. Sa place à elle était à Los Angeles, à la clinique, avec Dennis.

Elle leva les yeux vers le prince de Llandaron.

— Désormais il ne faut plus que je vous voie, Max.

— Pourquoi ?

— Vous savez très bien pourquoi, rétorqua-t-elle en soupirant. Il faudra que je reste loin de vous pendant les deux prochaines semaines. Jusqu'à mon départ.

— Deux semaines…, répéta-t-il d'une voix veloutée.

Un sourire joua au coin de ses lèvres et il ajouta :

— Nous ne tiendrons même pas deux jours.

Fran laissa fuser une petite exclamation, au moment même où un bourdonnement s'échappa de la poche de la veste de Max. Celui-ci s'assit sur ses talons et sortit son téléphone cellulaire de sa poche.

— Oui ? fit-il d'un ton vif.

Son regard glissa sur Fran et il déclara, d'une voix radoucie :

— Très bien, nous arrivons.

— Que se passe-t-il ? s'enquit Fran en s'asseyant.

— Il faut retourner au château. Glinda est sur le point de mettre bas.

4.

L'horloge suspendue au mur de l'écurie sonna les douze coups de minuit. Une pile de coussins calée sous un bras, quelques couvertures coincées sous l'autre, Maxim traversa le hall et se dirigea vers le bureau. Ou plutôt vers ce que Francesca avait baptisé « la salle de travail ».

En fait, lorsque Charlie les avait appelés cet après-midi, l'accouchement n'avait pas vraiment commencé. La chienne s'était juste mise à creuser son tapis de mousse pour y former une sorte de nid afin d'accueillir les chiots. Cependant, le valet d'écurie avait eu raison d'interrompre leur pique-nique, admit Max en son for intérieur. Bien qu'il eût éprouvé une cruelle frustration à mettre si rapidement un terme à une rencontre aussi douce et agréable… Mais le baiser fou, passionné, un peu sauvage, qu'il avait échangé avec Francesca ne serait pas le dernier. Du moins si les choses se passaient selon son désir. Ce qui était généralement le cas !

Maxim s'immobilisa sur le seuil du bureau et contempla Francesca. La jeune femme était assise en tailleur sur le sol, à côté de l'immense caisse dans laquelle elle avait installé Glinda. Il songea à la façon dont elle l'avait embrassé aujourd'hui, allongée sur la couverture de laine, les seins pressés contre son torse. L'instant avait été d'une sensualité magique.

Mais Francesca s'était vite ressaisie, rattrapée par la conscience aiguë qu'elle avait des convenances.

Il sentit son corps prendre flamme, tandis que des images de la jeune femme défilaient devant ses yeux. Ses lèvres sensuelles, ses yeux d'un brun profond… Tout homme était tenté de se noyer dans ces yeux-là.

Un ronflement sonore s'éleva dans un angle du bureau. Le père de Maxim était endormi sur une chaise, la tête renversée en arrière. Maxim reprit pied dans la réalité, se secoua mentalement et réintégra son personnage d'assistant-vétérinaire. Quelques heures auparavant, Francesca lui avait dit qu'il n'était pas obligé de rester. Elle était capable de faire face à n'importe quelle situation. Mais Maxim avait insisté. Il voulait la regarder travailler. A dire vrai, il voulait la regarder, tout simplement.

Il alla auprès d'elle et demanda en chuchotant :

— Comment va-t-elle ?

— Elle est un peu fatiguée. Mais sa température est tombée. J'en déduis que le moment de la naissance approche.

Glinda semblait nerveuse, un peu perdue, comme si elle ne comprenait pas ce qui lui arrivait. Cependant, la présence de Francesca paraissait la rassurer. Ses cheveux blonds repoussés en arrière, les manches de sa chemise retroussées jusqu'aux coudes, Francesca caressait délicatement le ventre de la chienne et lui murmurait des paroles rassurantes : tout allait bien se passer, les bébés n'allaient pas tarder à arriver et Glinda serait une mère merveilleuse.

— Croyez-vous qu'il puisse y avoir des complications ? s'enquit Maxim en s'accroupissant à côté d'elle.

Fran cessa de caresser la chienne.

— Dans mon métier j'ai appris à m'attendre à tout, Majesté. Les chiens-loups ont souvent des accouchements longs et difficiles.

Maxim déposa les couvertures et les coussins sur une petite table derrière Francesca et hocha la tête en signe d'acquiescement.

— Avez-vous déjà aidé des chiennes de cette race à mettre bas ?

— Seulement quand il y avait un problème et que la mère ne pouvait s'en sortir seule. Mais ne vous inquiétez pas, ajouta-t-elle en agitant les mains devant elle. Le roi a fait appel à une accoucheuse très compétente !

— Je sais.

Il ne put s'empêcher de lui prendre les mains et d'entrecroiser les doigts avec les siens.

— Vous ne vous contentez pas d'avoir des mains habiles. Elles sont aussi très jolies.

Elle leva la tête et leurs regards se rencontrèrent. Bien qu'elle arborât une expression de froideur et de détachement professionnel, il vit une flamme chaude brûler au fond de ses prunelles brunes.

Avec la vivacité d'un chat, elle retira sa main et reporta son attention sur Glinda. La chienne choisit ce moment pour se dresser sur ses pattes, sortir de sa caisse et faire quelques pas dans le bureau. Au bout de quelques secondes, elle revint se coucher. Sa respiration se fit de plus en plus haletante et il devint manifeste qu'elle souffrait. Elle finit par pousser un long gémissement plaintif.

Derrière eux, le roi s'éveilla et s'exclama :

— Comment va-t-elle, docteur ?

— Elle est un peu tendue. La naissance approche.

Ils passèrent les dix minutes suivantes à observer la chienne, dont la respiration était toujours aussi saccadée. Elle se leva plusieurs fois, tournant en rond avant d'aller se rallonger sur sa couche.

Enfin, Francesca vit nettement son ventre se contracter, comme une vague se retirant sur le sable pour mieux remonter à l'assaut.

— Ça y est, annonça Fran d'une voix calme. Maintenant il faut lui laisser de l'espace. Elle a besoin de silence, de tranquillité. Nous allons voir si elle peut se débrouiller sans nous.

Maxim s'assit sur le sol, devant la chaise de son père. Même s'il avait déjà assisté à la naissance d'innombrables veaux et poulains, ce spectacle n'avait jamais cessé de le fasciner. Il se demanda un instant si un jour il contribuerait à faire surgir au monde une nouvelle vie. Une vie qu'il aurait créée avec quelqu'un d'autre…

Ces pensées s'évaporèrent bientôt, balayées par le miracle de la naissance. Glinda s'agita sur sa couche, poussa, poussa encore. Et finalement, le premier chiot apparut.

— Le chiot se présente parfaitement, annonça Fran avant de se retourner vers sa protégée pour lui murmurer d'une voix encourageante : Tu te débrouilles très bien, ma fille.

Guidée par son instinct, Glinda poursuivit ses efforts jusqu'à ce que le chiot soit complètement sorti. Francesca le saisit immédiatement, s'assura qu'il respirait normalement et le déposa devant Glinda. Celle-ci se mit aussitôt à le nettoyer en léchant vigoureusement son petit museau rose et son pelage beige.

Francesca lança un coup d'œil au roi par-dessus son épaule.

— C'est une femelle, Majesté.

— Elle est… superbe, répondit le roi d'une voix étranglée.

Maxim aurait juré que son père avait les larmes aux yeux. Mais il évita de regarder derrière lui. Ni l'un ni l'autre n'étaient du genre à exprimer aisément leur sensibilité.

Au bout de vingt minutes, Glinda fut saisie de nouvelles contractions. Un profond silence s'abattit dans la pièce et ils attendirent en retenant leur souffle. Le chiot numéro deux vint au monde, suivi trente minutes plus tard par le chiot numéro trois. En tout il y en eut cinq, trois mâles et deux femelles. Ils avaient tous un pelage beige comme leur mère et ils étaient en parfaite santé.

Pendant tout le temps que dura la mise bas, le roi ne prononça pas un mot. Quant à Maxim, il ne pouvait détacher les yeux de Glinda qui léchait et soignait chaque chiot au fur et à mesure de leur apparition, leur prodiguant à tous une égale tendresse.

— Encore une adorable petite femelle, murmura Fran à la chienne épuisée.

Au bout d'une demi-heure, de nouvelles contractions apparurent. Mais cette fois, après quelques poussées, la chienne sembla abandonner la partie. La tête du chiot parut, mais plus rien ne se produisit.

Glinda posa sur Francesca un regard perdu, suppliant. Le roi et Maxim se raidirent instantanément, en attente de sa réaction.

Mais comme elle l'avait annoncé, Francesca était prête à intervenir. Elle posa les mains sur le ventre de Glinda et exerça une légère pression du bout des doigts.

— Que faites-vous ? s'enquit Maxim.

— Elle est à bout de forces. J'essaye d'aider un peu la nature.

Avec des geste doux, délicats, elle pétrit le ventre de l'animal, sans jamais cesser de lui parler à mi-voix.

Maxim la considéra, partagé entre le soulagement et l'admiration. La chienne semblait comprendre ce qui se passait et ce qu'on attendait d'elle. Elle continua de pousser, dans la limite de ses forces, jusqu'à ce que le chiot ait été complètement expulsé. Tout le monde poussa un soupir de soulagement. Puis chacun reprit sa respiration normale, tandis que Francesca lavait le chiot nouveau-né.

Mais le soulagement n'était pas encore de mise.

Quelque chose n'allait pas. Si le chiot était bien rose, ses membres demeuraient complètement inertes. Maxim entendit Francesca jurer entre ses dents.

— Que se passe-t-il ? demanda le roi d'un ton anxieux.

Francesca saisit une serviette en éponge et répondit :

— Il ne respire pas.

Avec des gestes d'une douceur infinie, elle prit le chiot entre ses doigts et expliqua à Glinda ce qu'elle allait faire.

Tout d'abord, elle nettoya les narines du chiot à l'aide d'une seringue, puis elle le plaça dans la serviette et lui massa le ventre, le dos, les flancs.

La gorge serrée, Maxim la regarda travailler. Il n'avait jamais vu quelqu'un d'aussi concentré sur sa tâche. Ses mouvements étaient sûrs et sa voix parfaitement maîtrisée, tandis qu'elle parlait au chiot et l'exhortait à respirer.

Maxim était fasciné.

Plusieurs secondes s'égrenèrent ainsi. Une atmosphère d'angoisse planait dans la pièce. Maxim ne se retourna pas vers son père. Il savait d'avance quelle expression il découvrirait sur le visage du roi : une inquiétude aussi profonde et aussi sincère que la sienne.

Tout à coup, le museau du chiot s'ouvrit. L'animal poussa un petit cri et avala une goulée d'air. Maxim et son père soupirèrent en même temps. Francesca, elle, continua de masser le petit chien tout en lui parlant. Au bout de quelques minutes, elle finit par déposer le chiot contre le ventre de Glinda et guida son museau vers une des tétines de la chienne. Le nouveau-né se mit à téter vigoureusement.

Francesca se retourna lentement vers Maxim et son père. Ses yeux brillaient de joie.

— Cela fait quatre mâles et deux femelles, Majesté.

Le roi reprit son souffle et déclara :

— Vous méritez une médaille, docteur. Merci. J'ai bien cru que ce petit n'allait pas…

Il laissa sa phrase en suspens. Francesca hocha la tête et sourit.

— Il est plus costaud qu'il n'en a l'air, vous savez.

La gorge serrée, Maxim plongea le regard dans ces yeux bruns et pétillants. Bon sang, qu'elle était belle ! Belle, intelligente et courageuse.

— Vous lui avez sauvé la vie, Francesca.

Les joues de la jeune femme se teintèrent de rose.

— Je n'ai fait que mon travail.

— Vous avez fait beaucoup plus que cela !

Maxim fut surpris par sa propre ferveur. Mais au moment même où il prononça ces mots, il vit son père se lever et s'étirer avec lassitude.

— Tu as bougrement raison, mon fils. Docteur, n'hésitez pas à me faire appeler si un problème se présente. Et encore une fois, merci.

Le vieil homme enveloppa Glinda et les chiots d'un regard attendri, puis salua Maxim et Francesca en souriant.

— Bonne nuit.

— Bonne nuit, Majesté.

— Bonne nuit, père.

Quand le roi fut sorti, Maxim se pencha et repoussa une mèche blonde qui tombait devant les yeux de Francesca.

— Vous n'exagériez pas du tout quand vous parliez de ce lien particulier que vous avez avec les animaux.

Francesca recula, surprise par le geste du prince, et baissa les yeux.

— Non, je n'exagérais pas.

Puis elle se tourna vers Glinda et s'absorba dans le spectacle des chiots qui tétaient leur mère.

65

Maxim ne fut pas le moins du monde rebuté par sa réserve. Il savait que, sous cette apparence froide, Francesca dissimulait une chaleur sensuelle. Chaque seconde qu'il passait en sa compagnie la rendait plus attirante et plus fascinante. Il était bien décidé à abattre les remparts qu'elle avait érigés autour d'elle et à lui faire oublier son absurde décision de demeurer loin de lui.

Mais pour le moment, il se contenta de rester assis auprès d'elle et de garder un silence respectueux tandis qu'elle s'occupait des tous derniers arrivants dans le clan de Llandaron.

Un peu plus tard dans la nuit, Fran déposa devant la chienne un bol d'eau fraîche et un autre contenant du fromage blanc. Mais Glinda ne parut intéressée ni par l'eau ni par le fromage. Elle resta allongée dans sa caisse, aussi calme que la surface d'un lac qu'aucune brise ne vient troubler. Francesca, en revanche, ressentait le besoin de s'activer. Elle était encore sur les nerfs, toute prête à remobiliser son énergie si un problème venait à surgir. Mais en principe, tout devait bien se passer désormais.

Il devait être près de 4 heures du matin. Tout le monde dormait, y compris les nouveau-nés. Glinda bâilla bruyamment, ferma les yeux pour les rouvrir presque aussitôt, comme si elle hésitait à plonger dans le sommeil. Finalement, elle céda et s'endormit.

— Comment va notre petit rescapé ?

Fran tressaillit et leva les yeux. Le prince s'avança vers elle, l'air soucieux. Il portait un grand sac de papier brun à bout de bras.

— Il a l'air de bien se porter. Vraiment bien.

Maxim jeta un coup d'œil à la maman et à ses petits qui dormaient bien au chaud dans leur couche. Il sourit. Charlie était venu après la naissance disposer des coussins autour de la caisse pour que les chiots ne se blessent pas contre le bois.

66

— Apparemment, ils sont tous crevés, fit remarquer Max en levant un sourcil, l'air amusé. Pour utiliser une de vos expressions américaines.

— Ce n'est pas une expression typiquement américaine, Majesté.

— Désolé. Je me trompe sans doute, concéda-t-il en inclinant un peu la tête.

Fran détailla sa tenue décontractée. Une chemise noire et un jean délavé. Délavé exactement aux endroits qu'il fallait… Le jour précédent, à la plage, elle lui avait dit qu'elle ne voulait plus passer de temps avec lui. Cette attirance entre eux était ridicule. Impossible. Elle ne pouvait leur apporter que des complications.

En réalité, cette attirance lui avait fait oublier tout le reste. Dennis. Son passé. La réalité. Et cela lui faisait peur.

— Vous ne devriez pas être dans votre lit ?

Il haussa les sourcils et ses yeux bleus se mirent à pétiller, comme pour donner un aperçu des pensées diaboliques qui s'agitaient dans sa tête. Fran sentit ses joues s'enflammer. Etant donné l'heure, sa question était logique. Mais à cause du désir qu'ils éprouvaient l'un pour l'autre, de l'alchimie spéciale qui s'était formée entre eux, les mots prenaient un sens différent. Troublant.

— Je ne suis pas prêt à me coucher, répliqua-t-il dans un sourire. Pas tout de suite, du moins.

La gorge de Fran sembla se dessécher et la jeune femme frémit imperceptiblement des pieds à la tête.

Max souleva le sac de papier brun.

— J'ai apporté le dîner.

— Je n'ai pas faim.

Du moins, elle n'avait pas envie de manger. Elle avait faim… de tout autre chose.

— Il faut pourtant que vous preniez des forces.

— Il est tard et…

Max lui tendit la main pour l'aider à se relever.

— Ce n'est pas une simple suggestion, docteur.

— Pardon ?

— C'est un ordre, répliqua-t-il en la considérant avec hauteur.

— Ah, vraiment ?

— Vraiment.

— Comme vous l'avez fait remarquer, je suis Américaine. Vous n'avez aucun pouvoir sur moi.

Jamais elle n'avait prononcé mensonge aussi éhonté. Une image passa, inattendue, dans son esprit. Elle se représenta Max complètement nu. Une rougeur envahit son visage et son corps. Qui essayait-elle de tromper ? Max détenait un pouvoir indéniable sur elle. Un pouvoir tel qu'elle devait se dépêcher de trouver une solution pour s'en libérer. Du moins si elle voulait quitter Llandaron la tête haute.

— En effet, je n'ai aucune autorité aux Etats-Unis, admit-il. Mais tant que vous séjournez à Llandaron, je suis votre…

— Seigneur et maître ?

Les mots échappèrent tout naturellement à Francesca, alors que l'image de Max entièrement nu flottait encore dans son esprit.

Elle aurait voulu disparaître sous terre.

— J'allais dire votre « patron », tout simplement. Mais votre suggestion me séduit davantage.

— Majesté, je…

Il lui prit la main et l'aida à se relever, puis l'attira contre lui avant qu'elle ait eu la présence d'esprit de protester.

— Venez dîner.

Ils demeurèrent dans cette position un moment, face à face, leurs corps se touchant presque. Fran aurait préféré s'écarter de

lui, se cacher, avaler le maudit sandwich qu'il avait apporté...
n'importe quoi, pourvu qu'elle ne sente plus ces muscles durs
se plaquer contre elle, qu'elle ne respire plus le parfum épicé et
viril, merveilleusement érotique, qui s'échappait des habits du
prince. Mais elle n'eut pas besoin de le repousser. De lui-même,
il fit un pas en arrière.

Peut-être l'avait-il prise au sérieux quand elle avait déclaré
qu'elle préférait tenir ses distances, ne plus passer de temps en
sa compagnie ? A cette idée, le cœur de Fran sombra un peu
dans sa poitrine.

A moins que le baiser qu'ils avaient échangé ne l'ait déçu ?
Son cœur sombra un peu plus.

Maxim la conduisit dans la stalle adjacente au bureau. Ainsi,
ils étaient assez près de Glinda pour l'entendre si elle avait besoin
d'eux. Et juste assez loin pour ne pas la déranger et ne pas réveiller
les chiots. Max sortit du sac des sandwichs au rosbif, du raisin
et une bouteille d'eau.

Francesca se laissa tomber dans la paille fraîche et prit la
moitié d'un sandwich.

— Nous partageons beaucoup trop souvent nos repas,
Majesté.

Maxim haussa les épaules et prit l'autre moitié du sandwich.

— Je me sens bien en votre compagnie.

En sa compagnie ? Que voulait-il dire ? Qu'il ressentait de
l'amitié pour elle ? Dans ce cas, elle ne s'était pas trompée et ce
baiser lui avait déplu. Un baiser, c'était largement suffisant pour
savoir si une personne vous attirait ou non. Et naturellement,
si Maxim n'était pas attiré par elle, tout était pour le mieux.
N'est-ce pas ?

Tout en dégustant le pain frais et délicieux du sandwich, elle
se livrait une dure bataille intérieure. Elle *voulait* que Max la

trouve attirante. Et pourtant, il ne pouvait rien y avoir entre eux. Mais cet homme avait tout ce qu'elle pouvait désirer, hélas ! Il était superbe, intelligent, drôle… et totalement inaccessible.

— Alors, c'est comment la vie de prince ? demanda-t-elle, pour engager une conversation neutre.

— C'est fantastique, épuisant, éducatif et décevant.

Un sourire joua sur les lèvres de Francesca.

— Autrement dit, il y a des hauts et des bas ?

— Honnêtement, Francesca, j'ai conscience de mener une vie de privilégié. Mais quand on commence à invoquer le devoir, les choses deviennent un peu plus… pénibles.

Francesca prit une poignée de raisins.

— Vous faites allusions aux réceptions officielles, aux baptêmes de navires et ce genre de choses ? Ou bien au fait d'être obligé d'épouser la princesse du Danemark, même si elle ressemble à une jument ?

Maxim mit un moment à répondre.

— En fait, je pense à la deuxième éventualité.

— Ah oui ? Vous êtes… fiancé ?

Pourquoi avait-elle tant de mal à prononcer ce mot ? Et même à en saisir le sens ? Elle était pourtant elle-même pratiquement fiancée… Oui, mais Max l'avait embrassée. Pourquoi aurait-il fait quelque chose comme ça s'il était…

Elle mit brusquement un terme à ses réflexions. Car si elle continuait de suivre le fil de ses pensées, elle serait obligée de considérer sa part de responsabilité dans ce baiser.

— Non, je ne suis pas fiancé. Loin de là.

Fran entendit la paille crisser sous les bottes de Maxim, tandis qu'il se penchait pour prendre à son tour une grappe de raisin.

— J'ai dit à mon père que j'épouserais la femme de mon choix. Si toutefois je me marie un jour.

— Vous ne croyez donc pas au mariage ?

70

— Je crois surtout à la liberté, Francesca. Et je n'ai pas encore découvert le moyen de concilier les deux.

Ces paroles attristèrent un peu Francesca. Malgré tout, elle comprenait son aversion pour le mariage.

— Quand j'avais neuf ans, dit-elle, j'ai trouvé un oiseau dans le jardin. Il était…

Elle s'interrompit et se mit à rire.

— Il était vraiment laid. Tout gris, ébouriffé, les pattes abîmées. J'étais en train de donner de l'herbe aux lapins quand il a foncé droit sur moi et s'est posé à côté de ma main. Petite créature insolente ! Il n'était pas blessé, seulement fatigué et affamé. Je l'ai appelé Oscar. J'étais carrément folle de lui. Enfin… il est resté trois mois à la maison. Et un beau jour il a disparu.

Fran leva les yeux vers le prince et sourit. Max lui rendit son sourire.

— Et la morale de l'histoire, c'est quoi ?

— Qu'on ne peut être à la fois libre et captif. Les deux notions sont incompatibles.

Elle lança un grain de raisin en l'air, tenta de le rattraper entre ses lèvres, mais manqua son coup. Le raisin retomba sur sa cheville.

Max l'attrapa entre ses doigts. Le souffle court, elle le regarda faire rouler le grain de raisin entre ses doigts, puis l'approcher de sa bouche. Elle s'humecta les lèvres du bout de la langue, incapable de détourner son regard de celui du prince.

— Ouvrez la bouche, docteur.

Elle obéit sans hésiter. Max fit glisser le fruit contre ses lèvres, puis l'introduisit dans sa bouche entrouverte. Elle mordit et sentit le liquide frais se répandre. Un soupir lui échappa.

Puis elle baissa les yeux et s'empressa d'avaler le grain de raisin. Max et elle gardèrent le silence une minute. La fatigue de la nuit commençait à se faire sentir et une grande lassitude submergea Francesca. Elle ne put réprimer un bâillement.

— Fatiguée ? s'enquit Max.

— Très.

Sans un mot, il ramassa les reliefs du repas, les fourra dans le sac qu'il jeta dans une poubelle.

— Je vais vous reconduire au château.

Mais Francesca secoua la tête en signe négatif.

— Je reste ici cette nuit.

— Là ? Mais où allez-vous dormir ?

— Dans cette stalle, je suppose. J'ai toujours rêvé de dormir sur une botte de paille.

Maxim éclata de rire.

— Ne vous faites pas trop de cinéma, docteur ! J'ai fait cela assez souvent pour dire que c'est bigrement inconfortable.

— Vous avez déjà dormi dans la paille ?

— Bien sûr. Quand j'étais enfant.

— Pourquoi ?

Maxim haussa les épaules.

— C'était la seule façon de m'échapper du château.

Francesca esquissa un sourire.

— Cette fameuse liberté.

Maxim hocha la tête, les yeux brillants.

— Oui. La liberté.

Il fallut à Francesca une bonne dose de courage pour détourner les yeux et annoncer :

— Je ferais mieux de dormir. Les chiots vont se réveiller très tôt demain matin.

Sans un mot, Maxim quitta la stalle et revint au bout de quelques secondes avec une couverture.

— Ce n'était pas la peine, dit Francesca. La nuit est douce, je n'en aurai pas besoin.

— Mais moi, oui.

Sur ce, il s'allongea sur la paille, croisa les mains sous sa nuque et ferma les yeux.

— Bonne nuit, Francesca, dit-il sobrement.

Le pouls de la jeune femme s'accéléra.

— Mais enfin, Majesté ? Que faites-vous ?

— Il n'est pas question que vous restiez ici toute seule.

— Pourquoi pas ? Y a-t-il des lutins qui sortent la nuit pour aller dévorer les pauvres vétérinaires innocentes ?

Max ouvrit les yeux. Ses pupilles sombres contenaient une lueur dangereuse.

— Des lutins, non. Mais il y a des loups affamés.

Une onde de désir se déroula traîtreusement au creux du ventre de Francesca. Comment pourrait-elle jamais dormir à côté de cet homme, si elle éprouvait de telles sensations ? Ses seins qui se tendaient, son corps qui s'emplissait d'une vague chaude…

— Ecoutez, Majesté, il n'est pas question que je…

Avant même qu'elle ait pu reprendre sa respiration, il la prit dans ses bras et l'attira au creux de son épaule. Elle sentit sous sa joue le contact de ses pectoraux durs et puissants.

— Posez la tête sur ma poitrine et taisez-vous, docteur. Nous sommes tous les deux fatigués. Essayons de dormir.

Dormir ? Etait-il bien sérieux ?

— Vous avez d'autres ordres à donner, Majesté ?

— Chut… Tout le monde a besoin de sommeil, ici.

Excédée, Francesca leva les yeux au ciel et soupira. Inutile d'essayer de discuter avec cet homme !

Elle abandonna donc toute résistance et laissa sa tête retomber contre ce torse solide.

— Que dira la princesse de Danemark ? demanda-t-elle dans un souffle.

— Et que dira Donald ?

— Non, Dennis.

Maxim se mit à rire.

— Dormez, maintenant. Vous réfléchirez demain.

Une proposition pour le moins hédoniste. Mais en fin de compte, Fran renonça à toute résistance et s'endormit presque aussitôt, blottie contre le corps viril de son magnifique prince charmant.

Ses paupières s'abaissèrent et, enivrée par le parfum de la paille qui se mêlait à celui du prince, elle sombra dans un sommeil réparateur.

5.

La paille crissa doucement sous Maxim lorsque celui-ci se dressa un peu pour regarder à travers la fenêtre, située sur la paroi opposée. Les matins à Llandaron ressemblaient à des tableaux de Monet. Les contours flous du paysage campagnard baignaient dans une profusion de couleurs fraîches. Mais l'artiste n'avait pas pu imaginer ce lever de soleil sur Llandaron. Se fût-il éveillé avec une beauté comme Francesca blottie entre ses bras, son œuvre aurait contenu beaucoup plus d'éléments sensuels.

Plus d'étangs, plus de nymphéas…

A moins, naturellement, que les nénuphars n'aient servi qu'à couvrir les collines et les vallées d'un certain corps féminin. Celui de Francesca Charming.

L'image de Francesca nue, les seins à peine cachés par des feuillages humides collés à sa peau, surgit dans l'esprit de Maxim et s'y attarda, faisant naître en lui un volcan de sensations.

Comme si le corps enflammé de Maxim lui avait communiqué un signal muet, Francesca bougea légèrement dans son sommeil. Sa main, qui était restée jusque-là posée sur la chemise du prince, se glissa sous le tissu et remonta le long de son torse, décuplant le désir de Maxim qui retint sa respiration. Les doigts de Francesca s'immobilisèrent sur ses pectoraux. La jeune femme changea de position, glissant une jambe sur sa cuisse.

Il voulait la posséder. Là, dans l'instant. Lui ôter son jean, la renverser sur le dos, lui remonter sa chemise et prendre le bout de ses seins dans sa bouche. Et plonger en elle… Si elle s'éveillait maintenant avec dans les yeux une flamme aussi ardente que celle qu'il sentait courir dans ses veines et brûler chacun de ses muscles, alors… alors il ferait cela. Sans hésiter.

Francesca poussa un petit soupir et s'étira longuement. Sa main remonta encore sur la poitrine de Maxim et, de sa paume, elle effleura un mamelon dur. Maxim émit un grognement rauque. Poussé par un pur instinct, il la serra plus étroitement contre lui.

— Mmmm… Max…

Elle enfouit le visage au creux de son cou et il sentit ses lèvres à quelques millimètres de sa peau. Elle bougea encore, pressant la jambe contre son sexe dur de désir.

C'en était trop. Elle avait même prononcé son nom. Maxim sut qu'il ne pouvait en endurer davantage sans réagir.

Il lui prit délicatement le menton et l'embrassa sur les lèvres, avec douceur. Elle fit entendre de nouveau un soupir ensommeillé et se fondit délicieusement contre lui. Sa bouche sensuelle se posa sur celle de Maxim, son corps se pressa voluptueusement contre le sien. Maxim pencha la tête, approfondissant son baiser. Elle répondit à son étreinte, s'offrant à sa bouche, poussant de longs gémissements.

Son désir était évident, aussi exacerbé que celui de Maxim. Ce dernier prit ses seins entre ses doigts et les serra doucement, à travers l'étoffe de sa chemise. Mais cette fois, Francesca ne poussa plus de gémissements langoureux. Bien au contraire, elle semblait s'être figée. Ses paupières se soulevèrent. Et contrairement à ce qu'avait espéré Maxim, il n'y avait nulle passion dans ses prunelles d'un brun sombre. Seulement une grande confusion. Qui fit très vite place à une expression de gêne.

Maxim sourit.

— Bonjour, dit-il.

Francesca s'assit, les yeux grands ouverts.

— Bonjour.

— Vous avez bien dormi ?

— Oui.

— J'ai entendu dire que les réponses brèves dénotaient un grand manque de sommeil. Vous devriez peut-être vous rallonger.

— Non. Je suis en pleine forme.

— Moi aussi.

Elle baissa les yeux. Son regard se posa sur un endroit précis. La couverture trop fine ne parvenait pas à dissimuler le désir de Maxim. Elle releva la tête et s'aperçut qu'il l'observait. Ses joues s'empourprèrent. Mais derrière son embarras évident, Maxim décela une flamme de passion. Une flamme qu'il avait bien l'intention d'entretenir et même d'aviver. Il n'avait pas l'habitude de se montrer patient. Pas l'habitude non plus d'être tenu en échec. Les femmes recherchaient sa compagnie et ne se faisaient jamais prier pour entrer dans son lit.

Toutefois, Francesca n'était pas une femme comme les autres. De plus, le combat qu'il menait contre son père pour conserver sa liberté le tenaillait. Donc, avec Francesca, il s'efforcerait d'être patient.

La jeune femme se redressa et tenta de remettre de l'ordre dans ses vêtements froissés.

— Il faut que j'aille voir comment se portent les chiots.

Maxim lui prit la main.

— Avant tout, je veux vous dire que vous avez été merveilleuse, hier soir.

Il la vit écarquiller les yeux, l'air un peu paniquée, et s'empressa de préciser :

— Je fais allusion à la naissance des chiots.

— Je sais.

77

— Vous n'étiez pas sûre que c'était bien de cela que je voulais parler.

Il retourna sa main et en embrassa la paume.

— Faites-moi confiance, Francesca. S'il s'était passé quelque chose entre nous la nuit dernière, vous vous en souviendriez.

Francesca lui retira vivement sa main et se leva.

— Vous êtes un peu trop imbu de vous-même, Majesté.

Maxim se renversa contre la paille avec un sourire amusé et croisa les bras sous sa nuque.

— J'étais sincère au sujet de vos compétences professionnelles. J'espère que Dagwood se rend compte de la chance qu'il a. Je veux dire… de vous compter dans son équipe de collaborateurs.

— Il en est très conscient, rétorqua Francesca en croisant les bras et en faisant la moue. Et pour la dernière fois, son nom est *Dennis*.

Le sourire de Max s'élargit. Elle devenait encore plus belle quand elle était agacée. Trop belle, en fait. Trop séduisante. Et si elle ne sortait pas tout de suite de cette pièce, il allait finir par perdre patience… la déshabiller en un clin d'œil et la posséder sur-le-champ.

— Il vaudrait mieux que vous alliez voir Glinda et ses petits, maintenant.

Elle arqua un sourcil.

— Est-ce une façon commode pour Son Altesse de me congédier ?

— Pas du tout ! répondit-il en riant.

Il rejeta la couverture, la laissant constater à quel point il désirait qu'elle reste auprès de lui.

— Voulez-vous venir vous recoucher ?

Les yeux de Francesca s'élargirent et elle parut franchement désorientée.

— Non… je… Ce n'est pas ce que je voulais dire.

— Dans le fond, c'est mieux comme ça. De toute façon il faut que je file. Mon avion décolle dans une heure. Je ne me contenterai pas de vous culbuter à la va-vite sur une botte de foin, Francesca. J'ai autre chose en tête pour nous deux.

La jeune femme rougit violemment et elle s'abstint de lui demander ce qu'il avait en tête.

— Où allez-vous ?

— A Paris.

— Oh… Pour affaires, ou… pour le plaisir ?

— Les deux. Je vais vous manquer ?

Francesca secoua vigoureusement la tête.

— Votre ego déborde encore, Majesté.

Sur ces mots, elle tourna les talons et sortit de la stalle. Parvenue à l'entrée du bureau elle lança, par-dessus son épaule :

— Amusez-vous bien !

Maxim regarda la jeune femme s'éloigner. Ses hanches se balançaient gracieusement et sa démarche avait quelque chose de subtilement provocant. Son voyage à Paris lui parut une perspective bien morne comparée à ce qu'il aurait pu faire à Llandaron. Mais le devoir passait avant tout. Il rejeta la couverture et se leva. Quoi qu'il en soit, il serait de retour avant la fin de la semaine. Et tout disposé à poursuivre ses manœuvres de séduction auprès de la belle Francesca Charming.

Pour affaires, ou pour le plaisir ?

Fran leva les yeux au ciel et déposa l'écuelle de Glinda dans l'évier. Quelle idiote ! Pourquoi ne pas lui faire une scène de jalousie, pendant qu'elle y était ?

Et puis, zut ! Pourquoi était-elle jalouse ? Dans une semaine et demie, elle serait de retour à Los Angeles. Elle reprendrait sa vie normale, parmi des hommes normaux. Et non avec des princes séduisants qui vivaient dans des phares désaffectés, faisaient chavirer le cœur de toutes les femmes qu'ils croisaient et réussissaient à persuader les esprits faibles que les contes de fées croisaient parfois la réalité.

Bien calée dans sa couche confortable, Glinda se reposait, entourée de ses bébés. Un sentiment de sérénité enveloppa Fran. Sa mission à Llandaron était accomplie et tout s'était passé de façon satisfaisante. Glinda avait donné naissance à de magnifiques chiots. Elle avait recommencé à manger et se portait comme un charme, ainsi que ses petits. Même le petit dernier était en pleine santé, le miraculé que Fran était parvenue à sauver et qu'elle avait baptisé Chance.

Cette mission lui avait rapporté une appréciable somme d'argent qu'elle pourrait investir dans une nouvelle antenne chirurgicale pour sa clinique vétérinaire. Elle pouvait donc quitter Llandaron sans arrière-pensée.

Fran ressentit un léger picotement dans sa main droite… la main qui avait caressé la poitrine de Max. La force et la chaleur qui émanaient de ce torse lui avaient fait une telle impression qu'elle s'était sentie fondre. Honnêtement, elle était obligée de reconnaître que cet homme l'attirait incroyablement. Et elle pensait ne pas se tromper en assumant que l'attirance était réciproque.

Mais il était hors de question d'envisager quelque chose avec lui, quelle que soit la force qui les poussait l'un vers l'autre. Tout d'abord, il y avait Dennis. Ensuite, il y avait sa propre méfiance envers les séducteurs, beaux parleurs et autres. Enfin — et ce n'était pas le moindre obstacle —, Maxim était de sang royal !

La solution était simple, évidente : il fallait qu'elle lutte de toutes ses forces contre ses sentiments.

Quelle chance qu'il doive partir à Paris ! Cela rendrait les choses bien plus faciles. Et peut-être même resterait-il absent de Llandaron jusqu'à son départ à elle…

Dès ce soir elle appellerait Dennis. Ils auraient une longue conversation au téléphone, comme cela arrivait si souvent. D'ici quelques jours, elle aurait complètement replongé dans son travail. Et Son Altesse le prince Maxim disparaîtrait tout à fait de ses pensées.

Du moins, elle ferait tout pour que cela se passe ainsi.

— Ils ont à peine cinq jours ? Ils poussent aussi vite que du chiendent !

Francesca croisa les yeux de Ranen Turk et sourit. Le vieil homme était venu au château pour dîner avec le roi, mais il avait tenu à passer aux écuries pour voir les chiots. Cet homme, avec ses manières bourrues, lui rappelait de plus en plus son grand-père. En apparence c'était un rustre, mais dans le fond il avait un cœur d'or. Et comme cet homme lui rappelait irrésistiblement son grand-père, elle ne put s'empêcher de penser aussi à son père. Ce qui la rendit excessivement triste.

Elle s'assit sur une chaise à côté de Ranen et désigna d'un geste du menton la caisse où était couchée la chienne.

— Cette pauvre Glinda va être très occupée avec tous ces petits.

— Voilà ce qu'il en coûte d'être maman, miss.

— Maman de sextuplés.

— J'ai entendu dire que les bergers allemands pouvaient mettre au monde jusqu'à quinze chiots en une seule portée.

— C'est vrai. Donc six, pour elle, c'est comme un seul bébé pour une femme.

Francesca demeura silencieuse un instant, puis demanda :

— Pensez-vous qu'elle est trop maigre ?

— Non, non, elle est absolument parfaite comme ça.

Ranen se tourna vers la jeune femme et l'observa en étrécissant les yeux.

— Mais quelque chose me dit que vous le savez, non ?

Francesca haussa les épaules en souriant.

— Je voulais avoir l'opinion de quelqu'un d'autre.

— Vous êtes contente, maintenant ?

— Oui. Pourquoi, il est interdit de poser des questions?

Le vieil homme se gratta le crâne et déclara :

— J'en suis pas certain. Faudra que je vérifie s'il n'y a pas une loi qui interdit de passer la pommade aux vieux imbéciles.

Francesca renversa la tête en arrière et éclata de rire.

— Vous êtes sûr que vous n'êtes pas le frère jumeau de mon grand-père ?

Cela faisait du bien de rire. Tout ne s'était pas passé aussi facilement qu'elle l'espérait, ces derniers jours. Elle n'avait pu parler que deux fois à Dennis par téléphone, et chaque fois il avait été obligé de la quitter au bout de cinq minutes. Et puis, il y avait la cause réelle de son trouble : Max. Si elle avait eu plus de travail, davantage d'animaux à soigner, elle aurait eu l'esprit plus occupé…

Mais ce n'était pas le cas. On ne l'avait engagée que pour veiller sur Glinda et les chiots. Cela lui laissait beaucoup de temps libre pour rêver. Max ne se contentait pas d'envahir ses pensées dans la journée. Il hantait également ses nuits. Elle faisait de longs rêves enivrants, dont elle émergeait en proie à de l'espoir et de la panique. L'espoir qu'il soit rentré au château, la peur de le découvrir tout à coup dans son lit, à côté d'elle.

— Vous dînez au château, ce soir ?

Le regard de Fran glissa sur le costume de soirée du vieil homme. Son accoutrement aurait été mieux adapté pour un rassemblement de bergers que pour un dîner avec le roi. Mais Ranen était de toute façon un excentrique, qui ne connaissait pas de règle. Il n'en faisait qu'à sa tête. Et pour tout dire, ce trait de son caractère plaisait à Fran.

— Je ne pense pas, répondit-elle en secouant la tête.

— Pourquoi ne venez-vous pas ?

— Parce que je ne me sens pas à l'aise à la cour, tout simplement. Je ne suis que Fran Charming, une fille toute simple venue de Californie. Les dîners de gala au château ne conviennent pas à quelqu'un comme moi.

— Tout ça, c'est des fadaises.

— En outre, reprit Fran en levant un doigt devant elle, je ne connais personne.

— Vous me connaissez, moi, grommela Ranen en lui lançant un regard sombre. Et vous connaissez Son Altesse.

— Non, je ne connais pas vraiment le roi.

— Je ne parlais pas de cette Altesse-*là,* ma petite.

Le pouls de Francesca se mit à battre bruyamment au fond de ses tympans.

— Mais le prince est à Paris.

Ranen fit un signe négatif de la tête.

— Il n'y est plus. Il a téléphoné à son père ce matin. Il devrait être de retour à Llandaron au moment où le brouillard tombe.

Le cœur de Fran battait si fort à présent qu'elle se demanda si le vieil homme assis à côté d'elle pouvait l'entendre. Ranen lui lança un regard aiguisé.

— Vous avez changé d'avis, pour le dîner ?

— Je… ne sais pas.

Que lui arrivait-il ? Tout à coup, elle se comportait comme une personne timide, indécise…

— Je demanderai à l'un des domestiques de venir vous chercher à 7 h 30. Le roi voudra certainement vous remercier en présence de ses invités d'avoir sauvé le chiot.

La saluant d'un clin d'œil, Ranen se leva et quitta l'écurie. Fran l'entendit marmonner dans sa barbe :

— La soirée promet d'être plutôt distrayante.

La jeune femme se renversa sur sa chaise et essaya de contempler la situation objectivement. Son cœur battait la chamade, mais la raison lui criait de garder la tête froide. Il lui restait encore six jours à passer à Llandaron. Si elle avait à peine de quoi s'occuper pendant la journée, qu'allait-elle faire de ses nuits ? Lire ? Prendre un bain ? Rester au lit ? Essayer de rappeler Dennis ?

Son regard se reporta sur Glinda. Elle aurait juré que celle-ci venait de lever les yeux au ciel !

— Tu as raison, ma fille, lui dit-elle en souriant. A croire que je cherche le feu pour m'y brûler !

Des rires et des bruits de conversation emplissaient la vaste salle à manger. Maxim regretta de ne pouvoir disparaître dans le brouillard cotonneux qui noyait la campagne. Il était de retour à Llandaron depuis moins d'une demi-heure et déjà son père faisait défiler devant lui toute une kyrielle d'éventuelles fiancées.

Après avoir avalé une bonne rasade de whisky, Maxim s'excusa et s'éloigna d'une duchesse trop bavarde, accompagnée par sa mère qui tirait déjà des plans sur la comète. Le feu qui brûlait dans la cheminée de marbre lui parut mille fois plus réconfortant que cette conversation stérile. Il aurait dû se méfier quand son père lui avait parlé de ce dîner en compagnie de « quelques amis ». Maxim s'était attendu à passer la soirée avec Ranen et le père Tom. Pas avec la cour au grand complet !

Et où diable était passée Francesca ?

Il voulait l'avoir auprès de lui. Afin de narguer son père, de l'obliger à se poser des questions, de lui faire entrevoir où pouvait mener son entêtement à vouloir le marier à tout prix.

Maxim vida son verre d'un trait. Qu'essayait-il de se faire croire ? Son envie de voir Francesca ne concernait en rien son père. Même pendant son séjour à Paris, la belle vétérinaire n'avait pas quitté ses pensées. Les réceptions, les femmes élégantes, un agenda surchargé… rien n'avait réussi à détourner son esprit de la jeune femme. En fin de compte, il avait bien dû admettre en lui-même que son attirance pour Francesca dépassait tout ce qu'il avait connu jusqu'ici. S'il ne possédait pas cette femme au plus vite, le désir continuerait de le consumer. Or, il ne pouvait se permettre d'être hanté par de telles préoccupations. Il ne lui restait donc plus qu'à finir ce qu'il avait commencé.

Le majordome annonça que le dîner était servi. Les invités sortirent deux par deux pour aller prendre place à la longue table préparée dans la salle à manger. Plusieurs femmes coulèrent à Maxim des regards en coin, chacune espérant sans doute être assise à côté de lui. Maxim rit sous cape. Elles ignoraient bien sûr qu'il s'était arrangé pour qu'une certaine personne soit placée à sa droite. Il n'y avait plus qu'à espérer que la jeune femme accepterait l'invitation !

Cette pensée venait à peine de lui traverser l'esprit que le bruit des conversations retomba brusquement. Tous les regards convergèrent vers la porte à deux battants où Francesca venait de faire son apparition.

Maxim enveloppa la jeune femme du regard. Il fut si épous-touflé qu'il lui sembla que ce n'étaient pas cinq jours qui venaient de s'écouler depuis leur dernière rencontre, mais cinq mois. Elle était d'une beauté renversante. Tout en elle était gracieux et délicat. Ses pieds fins, aux ongles discrètement vernis de rose, étaient mis en valeur par des sandales si légères qu'on les voyait à peine. Sa robe de soie blanche à fines bretelles et au profond décolleté moulait étroitement ses courbes sensuelles. La jupe, qui s'arrêtait juste sous le genou, révélait de longues jambes légèrement brunies par le soleil. Max étouffa un brusque élan de désir et fit remonter son regard vers le visage de la jeune femme.

Mal lui en prit. Son ovale parfait était encadré par des boucles blondes qui retombaient à hauteur de ses épaules. Quant au visage, sa beauté était encore rehaussée par un subtil maquillage qui mettait en valeur ses prunelles brunes et faisait briller ses lèvres bien dessinées.

Cette femme était l'incarnation tout à la fois de l'innocence et du péché. Elle provoquait chez Maxim l'envie de la toucher, de la caresser…

Il déposa d'un geste brusque son verre sur le manteau de cheminée et alla droit sur elle.

— Vous êtes splendide, docteur.

— Merci, répondit-elle dans un sourire. Et si je peux me permettre, Son Altesse est également magnifique.

— Très bien, mais laissez tomber les titres pour ce soir, voulez-vous ? Maxim suffira.

Il fit une pause et se pencha pour lui murmurer à l'oreille :

— Mais si vous ne pouvez pas vous contrôler et que vous m'appelez « Max », je m'en contenterai.

Francesca s'écarta en soupirant et déclara :

— Je peux toujours me contrôler.

Lui ayant décoché cette flèche, elle passa très droite devant lui et gagna son siège.

Maxim la contempla. Ses sens aiguisés se délectaient du délicieux parfum qu'elle laissait dans son sillage. Un mélange fleuri et épicé. Diablement grisant…

Tandis que chacun cherchait son nom sur les cartons disposés devant les couverts, Maxim se dirigea vers la longue table et fit mine de chercher lui aussi sa place. Tous les yeux étaient fixés sur lui. Normalement, il était toujours assis face à son père. Mais ce soir, le roi avait demandé au majordome de placer son fils entre deux jeunes femmes célibataires.

Un valet tira une chaise afin de permettre à Fran de s'asseoir à côté de Ranen.

— Ça par exemple ! s'exclama Maxim, tandis que le même valet tirait la chaise vacante à la droite de Fran. Nous avons été placés à côté l'un de l'autre.

— Par exemple ! répéta Francesca d'un ton sec.

Ranen Turk fit entendre un gros rire et répéta à son tour :

— Oui, par exemple !

Ils furent interrompus par le roi qui leva son verre et déclara :

— Bonsoir à tous et merci d'être là. Je voudrais adresser un remerciement tout spécial au Dr Charming, qui a aidé ma chère Glinda à mettre au monde six adorables chiots.

Francesca rougit, confuse, tandis que tout le monde portait un toast en son honneur. Presque aussitôt, on commença de servir le repas et les conversations reprirent. Maxim se tourna vers la jeune femme.

— Comment vont les chiots ?

— Très bien.

— Je n'ai pas encore pu passer les voir. Je viens tout juste de rentrer.

— Vous aurez tout le temps de vous en occuper plus tard. Ils auront besoin de beaucoup d'attention quand je serai partie.

— Votre départ est prévu pour quand ?

— La semaine prochaine.

— Déjà ?

De l'autre côté de la table, le père de Maxim accrocha le regard du prince et fronça les sourcils.

— Maxim, n'aurais-tu pas dû te trouver à l'autre extrémité, entre lady Anna et lady Elizabeth ?

Maxim montra au roi le carton sur lequel son nom était inscrit.

— Je me suis assis à l'endroit que l'on m'a désigné, père.

Le roi ouvrit la bouche pour répondre, mais Ranen ne lui en laissa pas le temps, se mettant à le taquiner au sujet de la partie de cartes qu'il avait perdue la semaine précédente.

Maxim reporta son regard sur Francesca. Celle-ci n'avait pas encore touché à son assiette. Elle le considérait avec curiosité.

— Paris vous a plu ? demanda-t-elle. La tour Eiffel est toujours à sa place ?

Maxim saisit sa fourchette et déclara en souriant :

— Ce fut un voyage… révélateur.

— Mmm… intéressant.

— Vous comprenez, c'est Paris après tout. Le seul fait de respirer l'air de cette ville est stimulant.

— C'est une belle ville. Les gens y sont élégants, surtout les femmes.

Maxim sourit de plus belle. Il voyait clair dans le jeu de Fran qui essayait de se renseigner sur la façon dont il s'était distrait à Paris. Mais elle ne parvenait pas à cacher sa curiosité.

— Vous voulez savoir si j'ai passé du temps avec les Parisiennes ? Vous n'avez qu'à me poser la question.

Francesca eut un haut-le-corps.

— Mais je ne tiens pas du tout à savoir…

— Nous pouvons en discuter, cela ne me gêne pas.

— C'est ce qui me semble, en effet, rétorqua-t-elle en levant le menton d'un air air indigné. Je pense que je vais vous ignorer, Majesté, et bavarder plutôt avec Ranen.

— Oh, non, je ne crois pas.

— Ah ? Et pourquoi pas ?

— Parce que Ranen parle avec mon père. Vous n'oseriez tout de même pas interrompre le roi ?

Francesca baissa le nez vers son assiette et planta sa fourchette dans une feuille de salade en murmurant :

— Bon sang…

— On ne jure pas à table, docteur, chuchota Maxim en riant.

Cette fois, quand elle se tourna dans sa direction, il vit qu'un sourire éclairait son visage. S'il posait ses lèvres sur les siennes à cet instant, est-ce que quelqu'un les remarquerait ? Ils pourraient juste glisser sous la table et…

— Docteur Charming ? Un appel téléphonique pour vous.

Maxim se retourna et vit le majordome qui se tenait respectueusement derrière eux.

— De la part du Dr Dennis Cavanaugh, reprit l'homme.

Fran eut la sensation que la feuille de salade qu'elle venait d'avaler s'était transformée en plomb dans son estomac. Elle regarda Max. Ses yeux s'étaient assombris au point de paraître noirs. Elle se demanda s'il était furieux parce qu'elle devait quitter la table ou parce que Dennis l'appelait.

— Je vous prie de m'excuser, dit-elle en se levant.

Fran attendit que le roi lui manifeste son assentiment avant de se lever et de partir en direction de la porte. Elle sentit le regard de Maxim peser sur elle jusque dans le hall. Dennis avait le numéro de téléphone du palais, mais il ne s'en était encore jamais servi.

Le majordome la conduisit dans une petite bibliothèque et ressortit en fermant la porte derrière lui. Elle souleva le récepteur et s'assit dans le canapé en cuir souple. Le coussin s'enfonça sous son poids.

— Dennis, bonjour. Comment vas-tu ?

— Tu me manques, Frannie.

Son soupir de soulagement fut presque aussitôt suivi d'une grimace agacée. Elle détestait qu'on l'appelle Frannie. Ce surnom lui donnait l'impression d'être un caniche.

— Cela me fait du bien d'entendre ta voix, dit-elle. Nous n'avons pas eu le temps de parler quand je t'ai appelé.

— Je sais, je sais. C'est de la folie, ici.

Il y eut une longue pause, puis Dennis reprit :

— Ecoute, Frannie… Je t'avais dit que j'attendrais ton retour à L.A. pour savoir si tu acceptais ma proposition. Mais je ne peux plus attendre.

Fran se mordit les lèvres.

— Que veux-tu dire, Dennis ?

— Il faut que je sache. Dès ce soir. Acceptes-tu de devenir ma femme ?

6.

Fran replaça le petit Chance à côté de sa mère et s'adossa à la cloison. Quand elle était avec Glinda et ses petits, elle se sentait en sécurité. Elle maîtrisait la situation. Elle était une excellente vétérinaire, une vraie pro. Dans cette pièce, sa vie avait un sens.

Au palais, en revanche, dans ce lieu bizarre où des lords et des ladies discutaient de la vie politique de Llandaron tout en mangeant du gibier et du gratin de citrouille, plus rien n'avait de sens.

Assise à la table du roi, elle ne s'était plus sentie maîtresse d'elle-même. Et pourtant elle avait éprouvé une sensation merveilleuse, comme si elle avait été en présence de quelque chose de… magique.

Et puis il y avait le prince… avec ses yeux bleu cobalt et sa bouche superbe. Une bouche qui la charmait autant lorsqu'il parlait que lorsqu'il l'embrassait. Une bouche qui lui avait fait éprouver des sentiments qu'elle avait oubliés depuis longtemps. Près de Max, elle s'était sentie femme et désirable.

Pourtant, elle était partie. Elle avait simplement informé le majordome qu'il fallait qu'elle surveille les chiots. Et elle avait renoncé à ces sentiments enivrants.

— Vous avez manqué le dessert.

Elle leva la tête en tressaillant. C'était l'incarnation du diable en personne qui venait d'apparaître, avec ses fameux yeux bleu cobalt.

— Je n'ai pas faim.

Quatre longues enjambées et le démon fut à ses côtés, penché au-dessus d'elle, incroyablement beau dans son smoking sombre.

— Il y a un problème avec Dennis ?

Elle fronça les sourcils.

— Je rêve ou vous venez tout juste de l'appeler *Dennis* ?

— Eh bien, s'il est à l'hôpital, ou coincé sur une île déserte en train de mourir de faim, je ne veux pas avoir l'air d'être sans cœur.

Francesca ne put réprimer un sourire.

— C'est très généreux de votre part, Max.

— Vous voulez me dire ce qui ne va pas ?

— Non, je n'ai pas envie d'en parler.

Nullement découragé par cette réponse, il se mit à rire, attira une chaise à lui et s'assit en face d'elle.

— Allez, docteur. Dites-moi tout.

Pourquoi était-il venu la rejoindre ? En quoi ses problèmes pouvaient-ils l'intéresser ? Qu'il éprouve de la curiosité au sujet de Dennis, soit. Mais de là à quitter la table du roi, à laisser tomber ses invités, toutes ces femmes superbes qui guettaient chacun de ses mouvements… Francesca soupira.

Et elle, avait-elle vraiment envie de lui révéler ses sentiments personnels ? De se dévoiler à un homme en présence de qui elle s'enflammait comme une torche ? Evitant son regard, elle murmura :

— Je ne sais pas, Max…

— Allons.

— Ce n'est pas une chose dont je veux…

— Je sais écouter, affirma-t-il.

92

Désignant d'un geste la caisse où dormaient les chiens, il ajouta :

— Demandez à Glinda.

Le regard du berger allemand alla plusieurs fois de Fran à Max, comme si elle avait compris les paroles de son maître. Fran se mit à rire.

— Elle vous a tout dit sur ses malaises pendant la grossesse ?

— Exactement.

Jamais Francesca n'avait trouvé sourire plus séduisant que celui du prince.

— Allons, racontez-moi, reprit-il avec insistance.

Francesca prit une longue inspiration. Il valait peut-être mieux que Maxim sache tout. Alors, il cesserait probablement de la courtiser. Et donc, elle cesserait aussi de le désirer aussi désespérément.

— Dennis n'est pas seulement un… un ami et…

— Et quelqu'un de bien.

— C'est cela.

— C'est aussi votre petit ami.

— Oui. Et…

Comme elle hésitait, Maxim l'encouragea :

— Et ?

— Et… avant mon départ pour Llandaron, Dennis m'a demandé de l'épouser.

Maxim se figea. Il sentit ses muscles se crisper, alors que les paroles de Francesca résonnaient dans sa tête. Il avait bien pensé que ce Dennis sortait de temps à autre avec elle, mais il n'avait pas imaginé que les choses étaient aussi sérieuses entre eux. Une proposition de mariage… diable !

Une série de jurons lui passa par la tête. Premièrement, il n'aimait pas l'idée que Francesca puisse épouser qui que ce soit… et encore moins ce vétérinaire qui avait l'air assommant.

Et deuxièmement, l'idée que cette idée lui déplaisait était inquiétante en soi.

Il devina au regard de la jeune femme qu'elle était mal à l'aise. A vrai dire, il l'était tout autant.

— Vous avez accepté ?

— Je lui ai répondu qu'il fallait que je réfléchisse.

— Et c'est pour cela qu'il vous a appelée ? Pour connaître votre réponse ?

Un lourd soupir. Francesca acquiesça d'un hochement de tête.

— Il m'a dit qu'il ne voulait plus attendre. Et vous savez ce que je pense ? Que je n'ai pas le droit de prolonger plus longtemps cette incertitude.

Dennis pouvait bien attendre jusqu'au Jugement dernier ! songea Maxim, excédé. C'était le moindre de ses soucis.

— Où en êtes-vous, à présent ?

— Toujours au même point. Il a été appelé pour une urgence et a dû partir à la clinique.

Francesca baissa les yeux et précisa d'une voix atone :

— J'ai promis de le rappeler demain soir.

— Et de lui donner une réponse ?

— Oui.

Ils gardèrent un long moment le silence, comme si aucun d'eux n'avait le courage d'affronter toutes les questions qui se présentaient à leurs esprits.

Maxim, naturellement, souhaitait qu'elle éconduise l'Américain. Et pas seulement à cause du plan qu'il avait échafaudé pour échapper aux projets matrimoniaux de son père. Il y avait quelque chose de plus.

De fait, Maxim éprouvait un intérêt assez profond pour Francesca Charming. Plus que de l'intérêt, du désir. Mais ce sentiment était-il destiné à durer ? Non, certainement pas. Or, une femme comme Francesca méritait plus qu'un flirt éphémère.

Il ne devait pas tenter de la détourner du bon chemin. Ne pas lui conseiller de décliner l'offre du vétérinaire américain. Cet homme lui promettait un avenir, un foyer, des enfants. Une vie normale.

Il ne devait pas faire cela, mais il en mourait d'envie.

Francesca lui sourit. Il vit son regard doux et sentit sa volonté faiblir. Quand il était auprès d'elle, la réalité s'effaçait, il perdait de vue le concret, ne faisait plus la différence entre ce qui était juste et ce qui ne l'était pas.

Prenant la main de la jeune femme, il l'aida à se relever.

— Venez.

— Où ça ?

— Chez moi.

— Non.

En dépit de cette protestation, elle n'essaya pas de lui retirer sa main.

— C'est le dernier lieu où je peux aller ce soir, Max.

— Vous n'avez pas confiance en vous, docteur ? demanda-t-il avec un sourire malicieux.

— Bien sûr que si.

— Alors, où est le problème ? Glinda et les chiots sont endormis, vous êtes libre.

— N'êtes-vous pas censé retourner à la réception ?

— Non. J'ai demandé au majordome de faire apporter les desserts chez moi. Je veux vous montrer quelque chose.

Les yeux élargis, les joues empourprées, elle balbutia :

— Je ne devrais pas quitter cette pièce…

— Il y a un proverbe américain que je trouve assez utile de temps à autre.

— Ah oui ? Lequel ?

— « Tout pour le travail, rien pour l'amusement », docteur.

*
* *

— Les échecs.

Max prononça le mot doucement et Francesca considéra la pièce superbe et accueillante dans laquelle ils venaient de pénétrer. Des flammes s'élevaient dans l'âtre. Juste devant la cheminée étaient disposés deux confortables fauteuils de cuir séparés par la plus belle table de jeu qu'elle ait jamais vue. Le meuble était composé d'un mélange d'ébène, d'ivoire et d'acajou. Des tiroirs en ornaient chaque extrémité et les pieds étaient merveilleusement sculptés. Les cases de l'échiquier étaient gravées sur le plateau.

— C'est incroyable ! s'exclama-t-elle en faisant glisser sa main sur la surface lisse.

— Cette table a appartenu à mon arrière-arrière-grand-père. C'est un homme du pays qui l'a fabriquée et qui a sculpté les pièces du jeu dans du bois de rose.

Maxim prit un coffret d'acajou posé sur la cheminée, l'ouvrit et plaça les pions sur la table.

— Mon père n'a jamais beaucoup aimé ce jeu. Mais moi, il me passionne depuis que je suis tout jeune.

Il ôta la veste de son smoking et la posa sur le dossier de sa chaise.

— Je me suis dit que j'allais vous apprendre pour que nous puissions jouer ensemble.

— M'apprendre ? répéta Fran en se retenant à grand peine de ne pas éclater de rire.

Vraiment, quel macho ce prince ! Lui apprendre à jouer ?

Sous prétexte que les échecs étaient généralement un jeu pratiqué par les hommes, Max s'était imaginé qu'elle ne savait pas jouer ! Mais en fait, son père lui avait enseigné les règles du jeu des années auparavant. Aujourd'hui, elle jouait sur Internet avec des partenaires du monde entier. Et en règle générale, elle réduisait ses adversaires en miettes ! Mais Max n'avait pas besoin de le savoir. Du moins, pas tout de suite.

Elle s'assit face à lui et haussa les épaules.

— Essayons de faire une partie. Je connais un peu les règles.

Un peu… En réalité, elle jouait régulièrement depuis l'âge de quatre ans.

— Vous êtes sûre de vouloir vous lancer comme ça ?

— Absolument.

Elle posa les doigts sur un fou, battit des paupières et demanda d'un air incertain :

— Ceci est un pion, n'est-ce pas ?

— Non, c'est un…

Il s'interrompit et posa sur Francesca un regard perçant.

— Vous n'essayez pas de me mettre en boîte, par hasard ?

— Peut-être un peu, répondit-elle en riant doucement.

On ne trompait pas Maxim aussi facilement. Il ne fallait pas qu'elle l'oublie.

— Vous mettre en boîte ? Où avez-vous piqué cette expression ?

— Dans le Milwaukee, dit-il en sortant un papier et un crayon de l'un des tiroirs. J'ai passé une semaine là-bas, l'année dernière. Je me suis beaucoup amusé. Les gens sont très pittoresques.

— Ils seraient sûrement ravis de savoir que le prince de Llandaron les trouve pittoresques, fit-elle, amusée. Mais vous semblez aimer vraiment l'Amérique.

— Oui. J'y allais très souvent… autrefois.

L'expression du prince était subitement devenue plus grave. Fran se demanda quel événement l'avait poussé à renoncer à ses voyages si le pays lui plaisait. Il ne semblait pas enclin à parler du passé. Fran essaya désespérément de lui faire retrouver sa bonne humeur.

— Alors, allons-nous commencer à jouer ?

— Nous jouons.

Haussant les sourcils, il sourit et fit avancer un pion blanc.

— Oh, seulement une case, fit Francesca. Intéressant.

— Je suis un homme plein de surprises, docteur.

Une onde électrique transperça Francesca. Elle déplaça son cavalier et dit :

— Eh bien, moi aussi. Alors, soyez sur vos gardes.

Le regard qu'il darda sur elle était brûlant.

— Il me tarde de découvrir ce que vous cachez.

— Vous essayez de me déstabiliser, rétorqua-t-elle, la gorge sèche.

— Apparemment, j'y parviens.

Il eut un sourire démoniaque et elle pensa être sur le point de défaillir. Mais ce n'était pas le moment. Ce soir, elle avait quelque chose à prouver.

Forte de cette idée, elle s'enhardit et fit avancer sa reine.

— Audacieux, fit remarquer Maxim.

— Je sais ce que je fais, répliqua-t-elle avec fermeté.

Elle trouva une parade à chaque obstacle qu'il plaça sur son chemin. Elle finit par le surpasser par son habileté, et Maxim devait faire montre de toute sa perspicacité pour parer à ses coups. C'était le genre de joueur que Francesca adorait affronter, vif, exigeant, péremptoire.

Le feu craqua dans la cheminée. Francesca contempla sa tour qui, parfaitement positionnée, tenait le roi de Max en échec. Elle haussa les sourcils et considéra son adversaire avec suffisance. Contente d'elle. Mais elle s'était réjouie trop tôt et avait sous-estimé son partenaire. Celui-ci continua de jouer calmement, sans jamais se départir d'un petit sourire. En quelques coups, il parvint à la mettre échec et mat.

— Faisons encore une partie, suggéra-t-elle.

Maxim hocha la tête et demanda, les yeux brillants de malice :

— Vous croyez que vous supporterez de perdre une deuxième fois ?

98

Les joues de la jeune femme s'enflammèrent.

— Nous pourrions faire un pari pour donner plus de piment à cette partie ? proposa-t-elle.

— Oui. Que voulez-vous mettre en jeu ?

— Votre part de dessert ? Le gâteau traditionnel de Llandaron.

— Je vous l'abandonne volontiers, Francesca. Trouvons quelque chose de plus important pour nous.

Sous son regard insistant, Francesca eut du mal à respirer normalement.

— J'ai l'impression que vous avez une idée…

— Le temps, fit-il d'un ton brusque.

— Le temps ?

Il posa le menton dans sa main et expliqua :

— Si je gagne, vous restez deux semaines de plus à Llandaron… Pour veiller sur Glinda et ses chiots, naturellement, acheva-t-il dans un sourire.

Francesca sentit ses seins se tendre de désir à l'idée de passer deux semaines de plus avec cet homme… près de lui…

— Et si je gagne ? s'enquit-elle.

— Vous retournez chez vous comme prévu. Vous retrouvez Los Angeles, la clinique et…

— D'accord, d'accord.

Elle avait compris. Los Angeles. Dennis. Avec une pointe de tristesse, elle dut admettre que cette perspective ne l'enchantait plus tellement. En revanche, l'idée de rester ici, avec l'homme assis en face d'elle…

Dès l'instant où elle était arrivée à Llandaron et avait eu cette première conversation avec un soi-disant valet d'écurie à moitié nu… elle avait été perdue.

Mais elle avait aussi *découvert* un aspect d'elle-même qu'elle ignorait encore.

Fran prit sa respiration et se tint bien droite sur sa chaise. Elle était décidée à mettre tout son cœur dans cette partie d'échecs. Le destin déciderait de l'issue du jeu.

— Très bien, Majesté. Préparez-vous à mordre la poussière. Vous allez perdre.

Le sourire qu'il lui adressa était particulièrement malicieux.

— Vous jouez toujours avec autant d'enthousiasme ?

— Faites quelque chose, Max.

— Ne me tentez pas, Francesca.

Avec un haussement d'épaules, elle souleva un des pions de Maxim et le fit avancer d'une case.

— Tricheuse ! lui reprocha-t-il avec un sourire.

— Je vous en prie. C'est votre ouverture préférée.

Elle-même prit son cavalier et le déplaça comme lors de la première partie.

— Voilà. Nous sommes à égalité maintenant.

Le jeu commença. Fran n'avait jamais disputé partie aussi âpre. Les pions se faisaient dévorer les uns après les autres. Les yeux des deux adversaires étaient rivés sur l'échiquier. Ils n'attendaient jamais plus de trente secondes avant de jouer. C'était l'affrontement sans pitié de deux volontés.

Mais il n'y aurait qu'un seul gagnant.

Le sang battait aux tempes de Francesca, résonnant dans ses tympans. Elle leva les yeux et contempla l'homme qu'elle désirait plus que tout au monde.

— Echec et mat.

Sans la lâcher du regard, Max renversa son roi du bout des doigts sur la table. Le bruit résonna dans la pièce.

— Vous avez gagné la partie, docteur.

Fran ne dit pas un mot. Car, en toute franchise, elle n'était pas sûre d'être gagnante.

Maxim avait l'impression d'être allongé sur du béton. Son oreiller lui, était trop mou. Curieux qu'il n'ait encore jamais constaté combien son lit était inconfortable. Cela faisait pourtant douze ans qu'il occupait cette chambre. C'était peut-être la conséquence de la fatigue du voyage ?

Pendant son séjour à Paris, il ne s'était jamais couché avant 4 heures du matin. Chaque nuit, il s'était effondré sur son lit d'hôtel, l'esprit vidé par des heures de travail. Mais ce soir il était à Llandaron, il n'était que 11 heures et il ne pensait qu'à *elle*. Le contact de la paille lui manquait. *Elle* lui manquait. Il aurait donné n'importe quoi pour qu'elle reste avec lui ce soir. Mais il ne lui demanderait rien tant qu'elle n'aurait pas donné une réponse à Dagwood.

— Max ?

Un appel à mi-voix, suivi par un coup presque imperceptible frappé à sa porte.

Maxim sauta de son lit d'un bond, noua le drap autour de sa taille et alla ouvrir. Une Francesca à l'air intimidé se tenait devant lui. En retenant son souffle, elle observa longuement sa poitrine nue ainsi que le drap noué bas sur ses hanches.

Malgré la lumière tamisée, il vit que ses joues étaient cramoisies.

— Je suis désolée, murmura-t-elle. Je crois que je vous dérange.

Maxim glissa une main autour de la taille de la jeune femme et l'attira à l'intérieur de la chambre.

— Ca ne va pas ?

— Non, dit-elle en allant s'asseoir au bord du lit.

— Que se passe-t-il ?

— Il fallait que je vous parle.

La lumière du hall tombait sur son visage et le nimbait d'une auréole rosée.

— Je sais que j'ai gagné le pari, mais…

— Mais ?

— Je ne veux pas partir. Pas encore.

Maxim sentit une main invisible lui agripper le cœur et le serrer avec force.

— Vous n'êtes pas obligée de partir, Francesca. Vous pouvez rester à Llandaron.

Elle ne répondit pas et garda le silence un long moment. Ses yeux parurent s'assombrir, ses pupilles se liquéfier. Elle tendit la main et la posa sur le torse de Maxim. Celui-ci eut une violente inspiration. Le désir lui embrasa les reins.

— Vous êtes sûr de ne pas être fiancé à une princesse ?

— Il n'y a personne, Francesca.

Personne, à l'exception de la femme assise sur son lit en ce moment.

— Bien.

Elle continua de lui caresser la poitrine de la paume, puis du bout des ongles. Son parfum doux et sucré s'insinuait dans l'esprit de Maxim, l'enivrait. Il ne pouvait contrôler sa respiration saccadée, ni les tressaillements de ses muscles sous les doigts de la jeune femme. Chaque parcelle de son corps était en feu. Au moment où il crut perdre la tête, les doigts de Francesca se rapprochèrent tout à coup du drap de soie qui lui ceignait les reins et s'y arrêtèrent.

Maxim posa une main sur la sienne.

— Restez avec moi ce soir.

— Je ne peux pas.

— Si, vous le pouvez.

Elle secoua la tête en signe de négation. Ses yeux s'assombrirent et elle dit :

— Il faut que je retourne au château. J'ai dit au garde que j'allais revenir, que je venais seulement chercher mon sac que j'avais oublié ici.

— Ne vous inquiétez pas pour le garde. Je vais m'en occuper. Il ne vous questionnera plus jamais sur vos allées et venues.

— Non, Max, je vous en prie.

Elle se leva et sa main retomba, rompant le contact entre leurs corps brûlants.

— Je ne veux pas provoquer de commérages. D'autre part, j'ai un coup de fil urgent à donner.

Maxim recula avec un grognement qui ressemblait à un assentiment. Quel que soit son propre désir de la retenir, il était bien obligé de reconnaître qu'elle avait raison. S'ils voulaient profiter sereinement des deux semaines qui leur restaient, il fallait qu'elle s'occupe des affaires qui l'attendaient de retour chez elle.

— Demain soir je vous emmène dîner dehors.

Il avait voulu formuler une invitation, mais ses paroles brusques ressemblaient davantage à un ordre.

— En amoureux ?

— Exactement.

— Je suis morte d'impatience, dit-elle dans un sourire.

Lui aussi était impatient. Mais il ne pouvait faire autrement qu'attendre.

Il raccompagna la jeune femme jusqu'à la porte, mais au lieu de l'ouvrir, il s'adossa au battant et déclara :

— Je ne vous laisserai pas partir sans que vous m'expliquiez pourquoi vous faites cela.

— Que voulez-vous dire ?

— Pourquoi renoncez-vous aux conditions de notre pari ? Pourquoi voulez-vous rester à Llandaron ?

Francesca eut un sourire timide. Elle s'approcha de lui et l'embrassa doucement.

— Voilà pourquoi je veux rester, Majesté.

Maxim l'attira contre lui avec une énergie désespérée. Plaquant une main ferme au creux des reins de la jeune femme, il prit ses lèvres pour un long baiser langoureux. Leurs souffles tièdes se mêlèrent délicieusement, leurs langues se caressèrent, et très vite, le baiser se fit plus fiévreux.

Fran finit par s'écarter de Maxim, hors d'haleine, la voix rauque.

— Ce qui se passe entre nous est aussi bien inévitable qu'incontrôlable, dit-elle dans un souffle. Et que cela dure deux heures, deux nuits ou deux semaines, je dois savoir où…

— Je sais, Francesca. Je sais.

Il l'embrassa encore une fois, le corps tendu de désir. Fran ne se déroba pas, mais plaqua les hanches contre son sexe durci. Il éprouva une vague de désir si intense qu'elle était proche de la douleur. Cependant, luttant contre lui-même, il relâcha son étreinte sur la jeune femme.

Celle-ci viendrait à lui librement, quand elle le déciderait.

Faisant un pas de côté, il ouvrit la porte de la chambre et dit :

— Nous nous verrons demain.

Francesca acquiesça d'un mouvement de tête. Ses joues étaient roses, ses lèvres gonflées par les baisers.

— Partez, Francesca, ordonna-t-il en se tournant vers le mur. Car je ne pense pas pouvoir me conduire en gentleman encore très longtemps.

Il l'entendit sortir et refermer la porte derrière elle. Quand il fut seul, il ôta le drap qui lui ceignait les reins et se dirigea vers la salle de bains. Une douche glacée… c'était la seule chose qui pourrait calmer ses sens en ébullition.

Francesca reposa le récepteur de téléphone à sa place, éteignit la lumière et s'installa confortablement dans son lit. Elle était partagée entre le soulagement et l'anticipation, la culpabilité et la tristesse.

Dennis s'était montré incroyablement compréhensif.

Ce n'était pas un romantique, il ne croyait pas au grand amour. Donc, il n'avait pas eu le cœur brisé. Toutefois, il avait posé une question à laquelle elle n'avait pas su donner de réponse.

Pourquoi ?

Fran se tourna sur le côté et agrippa son oreiller. Elle n'avait pas menti à Dennis, pourtant elle n'avait pas pu lui révéler l'exacte vérité. C'est-à-dire que le Dr Charming, d'ordinaire si raisonnable, si intelligente, si efficace, s'était mise dans une situation inimaginable.

Elle était tombée amoureuse du prince de Llandaron.

7

— Maxim ? Bon sang, Maxim, qu'est-ce que tu es en train de faire ?

— Je lis le journal, père.

Installé dans l'un des fauteuils les plus inconfortables de la bibliothèque, Maxim feuilletait le *Times*.

— Saviez-vous, père, que les hauts fonctionnaires de Grande-Bretagne viennent de se voir accorder une hausse de salaire de cinquante pour cent ?

— Non, je l'ignorais, bougonna le roi en haussant les épaules.

— C'est scandaleux.

— Maxim !

Le ton qu'adopta le roi contenait une nette mise en garde.

— Oui ? Qu'y a-t-il ?

Comme si Maxim ignorait ce que voulait son père. Comme si ce dernier n'était pas entré dans cette pièce justement pour l'interroger.

— Tu sors avec le Dr Charming, ce soir ?

Maxim souleva le journal à hauteur de son visage et dissimula un sourire.

— Je l'emmène à la fête de Llandaron.

Francesca passait ses journées confinée dans l'écurie avec Glinda et les chiots. Elle apprécierait sûrement ces quelques heures en plein air. D'ailleurs, la fête foraine était l'endroit idéal pour sortir avec elle, et qui présentait de nombreux avantages : ils auraient du temps devant eux et ils seraient exposés à tous les regards. Maxim voulait être vu avec elle. Mais ce qui pour lui était plus important encore, c'était qu'il allait passer une soirée entière avec la plus jolie femme de sa connaissance.

Tous les ans, pendant une semaine, une fête foraine animait Llandaron. Des baraques, installées tout autour du champ de foire, vendaient de délicieuses spécialités régionales. Au centre se trouvaient les attractions. Maxim ne s'était plus rendu à la fête depuis des années, il était temps qu'il y fasse acte de présence. En outre, il méritait bien un peu de détente, après avoir passé la nuit à étudier une pile de contrats compliqués. C'était tout ce qu'il avait trouvé à faire, quand le Dr Charming avait quitté sa chambre en le laissant parfaitement éveillé et en proie à un désir tyrannique.

Inutile de dire que la douche glacée avait été aussi utile et efficace qu'un manteau de fourrure au cœur de l'été !

— Ça ne me plaît pas, Maxim.

Maxim replia son journal et le jeta sur une table.

— Pourquoi, père ?

— Que vont dire les gens ? Ce sera la deuxième fois que tu t'exhibes avec elle devant toute la ville.

— Que je m'exhibe avec elle ? répéta Maxim en se penchant un peu en avant. Père, votre snobisme prend le dessus et ce n'est pas très sympathique.

Le roi se caressa la barbe en grommelant :

— Tu sais très bien que cela n'a rien à voir avec ce qu'elle est ou d'où elle vient.

— Ah non ?

— Non.

— Alors, où est le problème ?

— Le Dr Charming a beaucoup d'allure. Elle est belle, intelligente, et Ranen la tient en très haute estime. Moi aussi.

Maxim se renfonça dans son fauteuil, sentant la moutarde lui monter au nez. Pourtant, n'avait-il pas atteint son but ? Son père s'inquiétait parce que lui, son fils, le prince de Llandaron, s'intéressait à une roturière. Il était même tellement inquiet que cela risquait de le détourner enfin des projets matrimoniaux qu'il avait nourris pour Maxim. Et si ce dernier allait se mettre en tête d'épouser une Américaine ? Mieux valait attendre encore un peu pour le caser…

— Où voulez-vous en venir, père ?

— Les gens de Llandaron sont des romantiques, Maxim. Ils aiment que la famille royale soit heureuse, que les princes et les princesses soient amoureux de leur conjoint.

D'un geste agacé, il leva les mains devant lui et ajouta :

— S'ils vous voient encore ensemble, ils vont s'imaginer qu'une histoire d'amour est sur le point d'éclore entre vous.

Maxim eut un geste de dédain.

— Laissez-les donc imaginer ce qu'ils veulent.

Les paroles lui avaient échappé naturellement. Bon sang, que lui arrivait-il ? Il savait bien qu'il ne s'agissait pas d'amour, entre Francesca et lui. Il n'était question que de sensualité, de désir. Forcément.

— Ne traite pas la situation aussi cavalièrement, Maxim. Les gens savent que ton frère n'aura pas d'héritier, hélas. Aussi, ils ont les yeux braqués sur toi. Lorsque j'annoncerai le nom de ta fiancée, au prochain bal, ils risquent fort d'être déçus car ce ne sera pas Francesca.

— Vous allez trop loin, père.

— Comment crois-tu que les gens réagiront quand ils verront que le Dr Charming est retournée chez elle, alors qu'ils t'ont vue si souvent en sa compagnie ?

Maxim se leva, les mâchoires crispées, le visage sombre.

— Tu auras déçu ce peuple que tu prétends aimer, Maxim.

Un sentiment de frustration s'enfonça profondément dans le cœur de Maxim. Il était évident que son père n'abandonnerait pas la partie. Pas plus que lui.

Maxim aimait pourtant son peuple. Peut-être même plus qu'il ne l'aurait voulu. Mais fallait-il qu'il renonce à ses propres désirs pour satisfaire ce peuple ?

Il se passa une main dans les cheveux. La réponse, il la connaissait. Il l'avait toujours connue. Mais bon sang, il était bien décidé à profiter de ces deux prochaines semaines. Quant au peuple, à son père, à son pays... ils disposeraient du reste de sa vie.

— Au fait, fit-il brusquement. J'ai invité Francesca à demeurer deux semaines de plus à Llandaron. Bonne nuit, Majesté, ajouta-t-il en s'inclinant devant le roi.

Ce dernier poussa un soupir accablé.

— Tu diras au Dr Charming que le roi lui souhaite une bonne soirée.

Un rire cristallin s'échappa des lèvres de Francesca.

Trois... deux... un !

Francesca prit son élan et lança la tarte à la crème de toutes ses forces. Puis, en retenant sa respiration, elle regarda le mélange de crème et de noix de coco atteindre sa cible.

Derrière Max et elle, il y eut un immense éclat de rire et des applaudissements. Tout autour d'eux, les gens s'amusaient. Les enfants dévoraient des friandises en courant d'une attraction à l'autre. Francesca était enchantée que Max ait eu l'idée de l'emmener à cette fête populaire.

— Dites-moi, s'enquit-elle en se tournant vers son compagnon. Qui a reçu cette tarte à la crème ?

— Je pense qu'il s'agit du brave Dr Underhill.

— Il risque de m'en vouloir. Rappelez-moi de ne pas tomber malade ni de me casser la jambe pendant le reste de mon séjour.

Maxim se pencha sur elle et lui susurra :

— Ne vous inquiétez pas. Si vous vous cassez une jambe, je vous porterai.

Frémissante, délicieusement troublée par son souffle chaud et la promesse implicite qu'il lui faisait, elle demanda :

— Vous me porterez sur votre épaule ?

— Et je vous emmènerai dans mon antre, acquiesça-t-il avec une lueur malicieuse au fond des yeux.

La veille justement, elle s'y était rendue, dans cet « antre ». C'était un endroit sombre et dangereux où elle rêvait de retourner.

— J'aimerais aller là-bas pour acheter du pain et du fromage, dit-elle en désignant une des petites baraques. Je meurs de faim.

— A votre convenance, milady, répondit Maxim en lui embrassant le bout des doigts. Du pain et du fromage pour commencer… Nous irons visiter l'antre plus tard.

Une douce brise marine balaya les joues brûlantes de Francesca. Mais cela ne parvint pas à apaiser la flamme qui la dévorait intérieurement. Pendant toute la nuit dernière et la journée qui venait de s'écouler, elle avait envisagé de dire adieu à ses inhibitions, aux règles de vie et aux peurs qui la tenaient en otage.

Elle désirait Max. Et il la désirait aussi.

Pouvait-elle, pendant deux semaines, faire fi des vieux principes dont elle était prisonnière et profiter du temps qui lui restait à passer avec lui ?

Elle l'enveloppa d'un regard possessif, admirant ses bras bronzés, ses épaules larges et puissantes, sa taille élancée. Son corps svelte et solide était merveilleusement mis en valeur par son jean et par la chemise noire dont il avait retroussé les manches jusqu'aux coudes. Son visage sensuel, aux traits purs, semblait

110

avoir été sculpté dans le marbre. Le corps de Francesca s'enflamma au souvenir de ce qui s'était passé entre eux. Les lèvres fermes de Max se pressant sur les siennes. Ses mains larges se plaquant sur ses reins tandis qu'il l'attirait contre lui. Ses yeux bleus fixés sur elle lorsqu'elle avait caressé son torse nu.

Elle se laissa submerger par une vague de désir et souhaita pouvoir s'engloutir tout entière dans cet océan de sensualité.

— Deux de chaque, entendit-elle Max demander à la jeune femme blonde qui se tenait derrière le comptoir.

— Son Altesse désire-t-elle autre chose? s'enquit la vendeuse avec un sourire faussement timide.

— Non, ce sera tout.

Fran eût-elle été éduquée différemment qu'elle eût sans doute réagi vivement à la coquetterie effrontée de la jeune vendeuse. Mais elle ne s'était jamais laissé gagner par la jalousie et ce n'était pas maintenant qu'elle allait commencer. Elle avait beau être folle du prince, ce n'était pas une raison pour perdre la tête ! De plus, elle n'était rien pour lui et n'avait aucun droit de lui faire une scène.

Ils s'installèrent devant une table de pique-nique pour déguster leur pain et leur fromage. Fran remarqua au bout d'un moment que les gens installés autour d'eux les observaient discrètement. Elle surprit des regards intéressés, des sourires timides, des chuchotements. Et pour couronner le tout, une fois leur collation terminée, Max lui prit la main pour l'entraîner vers les attractions, ce qui ne manqua pas d'aviver la curiosité des gens.

S'était-il déjà promené main dans la main avec une femme au beau milieu de la foule ? Fran se posa la question. Si cela s'était déjà produit, qui était cette femme ? Quand s'étaient-ils rencontrés ?

— Majesté, Francesca !

L'exclamation enthousiaste de Ranen Turk interrompit le fil de ses pensées. Elle se tourna en direction de l'endroit d'où venait la voix. Le vieil homme se trouvait sur une estrade rouge sur laquelle avait été disposée une sorte de balance surmontée d'une cloche. Une pancarte annonçait en grandes lettres rouges : « Essayez votre force. Faites sonner la cloche. »

— Que se passe-t-il, ici ? demanda Max en se dirigeant en riant vers l'estrade. C'est vous qui animez le stand, Ranen ?

— Ouais !

Un énorme maillet à la main, Ranen Turk se dirigea droit sur Maxim.

— Croyez-vous que vous avez assez de force, Majesté ?

— J'essaierai un peu plus tard.

— Nous venons juste de dîner, renchérit Fran.

Les avertissements que sa marâtre adressait à ses « vrais » enfants lui revinrent en mémoire : pas d'exercice physique après avoir mangé.

— Vous perdez de votre vigueur, Majesté ! C'est l'âge, sans doute.

Maxim secoua la tête, amusé.

— Ce que vous pouvez être idiot, Ranen !

— Vaut mieux être idiot que couard.

Un petit groupe se forma autour d'eux, ne perdant pas une miette des paroles échangées.

— Il tient à son petit spectacle, marmonna Maxim en se tournant vers Fran. Et il ne me lâchera pas tant qu'il ne l'aura pas eu. Je voulais vous emmener faire un tour dans la grande roue, mais ça devra attendre.

Il approcha de l'estrade, mais avant de grimper, il se tourna encore une fois vers Francesca.

— J'ai droit à un petit baiser pour me porter chance ?

— Les gens nous regardent, répondit-elle, cramoisie.

Les yeux de Maxim pétillèrent de malice.

— Cela vous ennuie d'être vue avec moi ?

— C'est *votre* réputation que j'essaie de préserver. Pas la mienne.

Maxim posa une main sur sa nuque et plongea le regard dans le sien.

— Ma réputation est faite depuis longtemps, docteur.

Sans attendre de réponse, il posa les lèvres sur sa bouche. Ce ne fut qu'un baiser très bref, rien de passionné. Mais Fran sentit un frisson se répandre dans tout son corps.

Il la relâcha et fut d'un bond sur l'estrade. Fran garda le regard fixé droit devant elle. Pas question de vérifier, même du coin de l'œil, combien de gens l'observaient en se posant des questions qu'elle-même n'osait pas formuler en son for intérieur.

Mais toute l'attention du public se reporta sur Maxim. Celui-ci souleva le maillet au-dessus de sa tête, dans un geste spectaculaire et s'écria :

— Longue vie à Llandaron !

— Longue vie au prince Maxim ! répondit la foule dans une clameur unanime.

Les muscles de Maxim se tendirent et il abattit le maillet. Celui-ci heurta la balance métallique et le poids grimpa, grimpa... pour s'arrêter quelques centimètres au-dessous de la cloche. Un murmure de déception s'éleva dans la foule. Ranen eut un sourire narquois. Maxim leva une main devant lui, pour faire signe qu'il demandait le silence.

Une fois de plus, il souleva le maillet et l'abattit avec force. Le poids remonta. Cette fois, il ne manqua sa cible que d'un cheveu. Une fine couche de sueur apparut sur le front de Maxim.

— Vous préférez abandonner, Majesté ? demanda Ranen, plein d'ironie.

— Jamais. Quel prix voulez-vous que je gagne pour vous, docteur ? ajouta-t-il en se tournant vers Fran. L'ours en peluche ou le disque compact ?

— Ce qu'il y a de plus gros, naturellement, rétorqua-t-elle en souriant.

Un rire parcourut la foule.

— Naturellement.

Le sourire éblouissant de Max la fit chavirer.

Une foule de plus en plus dense s'amassait autour de l'estrade. Les cris d'encouragement devenaient assourdissants. Avec des gestes mesurés et méthodiques, Maxim leva encore une fois le maillet au-dessus de sa tête. Le soleil couchant qui descendait à l'horizon nimba sa silhouette de reflets orangés. Le silence se fit dans la foule. Un léger grognement s'échappa de la gorge de Maxim lorsqu'il laissa retomber le maillet. Le poids monta, monta… et on entendit le son grave de la cloche.

Des cris de victoire s'élevèrent parmi les spectateurs. D'un geste théâtral, Max désigna un énorme ours en peluche qui trônait sur le comptoir. Dépité, Ranen secoua tristement la tête et alla chercher la peluche d'un pas traînant.

— Et voilà, déclara Maxim en déposant l'ours dans les bras de Francesca, avant de sauter à bas de l'estrade.

— Vous êtes sûr que c'était le plus gros du stand ?

Elle essaya de regarder le prince par-dessus l'énorme tête de la peluche. Max aplatit la fourrure de l'ours et rencontra les yeux de la jeune femme. Celle-ci se mit à rire et il l'imita.

La foule ne tarda pas à se disperser. Ranen vint s'asseoir au bord de l'estrade et poussa un soupir.

— Comment allez-vous faire pour ramener ce truc dans l'avion, mon petit ?

Ces quelques mots suffirent à changer instantanément l'humeur de Max et de Fran. Tous deux se rembrunirent. Puis leurs regards se croisèrent. Max sourit. Francesca lui retourna son sourire, confirmant tacitement qu'elle était d'accord pour ne pas penser encore à ce qui se passerait quand les deux semaines seraient écoulées.

— Passez une bonne soirée, Ranen.

Max salua le vieil homme d'un bref signe de tête et glissa un bras autour de la taille de Francesca.

— Allons-y, lui chuchota-t-il à l'oreille.

— Nous retournons au palais ?

Mais Maxim secoua la tête en signe de refus.

— Je pense que nous pourrions plutôt faire un tour dans les attractions.

— En effet.

Et, se lovant contre lui, elle ajouta d'un ton sec :

— Plus elles seront terrifiantes, mieux cela vaudra.

Jamais au grand jamais Fran n'aurait soupçonné que cette petite fête foraine de province posséderait quelque chose comme...

— Comment s'appelle cette attraction, déjà ?

— Légendes d'amour.

A l'extrémité du champ de foire, au bord de l'océan, se tenait un manège carrément magique. Dans le soleil couchant qui projetait sur le bassin d'eau de mer ses rayons rougeoyants, d'adorables petits bateaux reliés par un câble invisible circulaient dans deux mètres d'eau avec la grâce et la souplesse d'un groupe de dauphins. Fran et Maxim, qui avaient un bateau pour eux tous seuls, avaient juché l'ours en peluche à l'avant comme une figure de proue. Blottis l'un contre l'autre sur la banquette de cuir, ils regardaient défiler des collines verdoyantes couvertes de bouquets de fuchsia.

Le crépuscule s'installa et le bateau continua sa lente promenade. Tout était paisible alentour, comme si une main invisible avait tourné un interrupteur afin de faire taire le brouhaha de la foule qui se pressait autour des stands de la fête foraine.

— J'étais déjà montée dans ce genre d'attraction, chez moi, dit Fran.

— Vraiment ?

— Oui, fit-elle en dardant sur lui de grands yeux innocents. Il me semble que ça s'appelait le « Tunnel de l'amour ».

Un nerf tressauta sur la joue de Maxim.

— Et avec qui avez-vous fait cette balade ?

— Avec Bert Wilson.

— Bert Wilson ? C'était qui ?

— Mon petit ami.

— Ah...

Les mâchoires de Maxim se serrèrent à se briser. Le sourire de Fran s'élargit et elle précisa :

— C'était mon petit ami quand j'étais au collège.

Maxim se détendit visiblement, ses lèvres esquissèrent une moue amusée.

— Il vous a embrassée ?

— Il a essayé.

— Vous ne l'avez pas laissé faire ?

— Pas de risque !

— Et moi, vous allez me laisser faire ?

Malgré l'obscurité qui commençait à les envelopper, les yeux de Maxim étaient d'un bleu limpide. Fran aurait voulu se noyer dans ce gouffre bleu. S'y perdre... aussi longtemps que Maxim le voudrait bien.

— Oui. Son Altesse a droit à... un baiser.

Il passa un bras autour de son épaule et l'attira contre lui.

— Rien qu'un ?

— Vous verrez bien, fit-elle avec un malicieux sourire.

L'air avait fraîchi, la brise s'était levée. Mais c'est à peine si Francesca s'en aperçut. Les autres bateaux lui paraissaient très loin ; les lèvres de Maxim, en revanche, étaient tout près des siennes. Il lui communiquait la chaleur de son corps et elle sentit sa propre impatience grandir. Dans un geste involontaire elle s'humecta les lèvres du bout de la langue. Elle voulait sentir de nouveau la bouche de Maxim sur la sienne. Avec un petit soupir, elle baissa les paupières…

Le bateau fit brusquement halte. Maxim et Fran furent projetés en avant. La jeune femme étouffa un cri et atterrit sur le plancher de la petite embarcation. Max était à côté d'elle.

— Vous vous sentez bien ? demanda-t-il en lui prenant le visage à deux mains.

— Oui.

Ils se trouvaient sous un petit pont recouvert de lierre qui formait comme un tunnel de verdure. Des volutes de brume blanche flottaient sous les feuillages et les enveloppaient.

— Que se passe-t-il ? demanda Francesca.

— Il doit être 6 heures.

Maxim était si proche d'elle qu'elle sentit son souffle sur sa joue.

— Le brouillard ?

— Oui.

Malgré la fraîcheur humide, Francesca eut l'impression qu'une lave en fusion se répandait dans ses veines.

— Pourquoi ont-ils arrêté les bateaux ?

— Par souci de sécurité, murmura-t-il sans quitter des yeux les lèvres de sa compagne.

— Je ne me sens pas vraiment en sécurité, Majesté.

Un brouillard épais s'était maintenant installé autour d'eux, créant un petit monde parfait, une sorte de cocon, dans lequel personne ne pouvait pénétrer… et que personne ne pouvait quitter. Exactement ce que les deux amoureux d'autrefois avaient souhaité.

Très doucement, Maxim fit glisser son doigt sur les lèvres de Francesca. De minuscules frissons la parcoururent. Chaque parcelle d'elle-même brûlait d'un désir insensé. Il fallait qu'elle sache ce qu'il attendait d'elle.

— Que voulez-vous que je ressente, Max ? Dites-moi.

Le regard bleu du prince s'assombrit jusqu'à devenir noir.

— Laisse-moi te montrer.

Et sans attendre de réponse, il la renversa dans le bateau et s'empara de ses lèvres. Son baiser fut impétueux, empli d'un désir ardent contre lequel elle ne tenta pas de lutter. Avec un gémissement, elle succomba et s'offrit sans réserve aux caresses enivrantes qu'il lui prodigua.

Mais les baisers ne suffirent pas à apaiser la flamme qui la consumait. Pourquoi ? se demanda-t-elle. Pourquoi ne suffisaient-ils pas ?

Maxim s'arracha à ses lèvres avec un grognement sourd.

— Tu me rends fou, Francesca, murmura-t-il en la contemplant.

Lentement, il glissa sa main sous le chemisier de la jeune femme. Le cœur battant, elle sentit sa paume s'arrondir autour de son sein. Il la caressa doucement à travers la dentelle de son soutien-gorge. Elle éprouva un plaisir si intense qu'elle en fut presque effrayée. Une simple caresse était-elle censée provoquer une telle sensation ?

— Tu es si belle, chuchota-t-il en caressant de son pouce un de ses mamelons tendus. Mais il n'y a pas que ça. Tu es aussi drôle, intelligente, incroyablement passionnée. Je n'avais encore jamais rencontré une femme comme toi.

— Et moi, je n'avais jamais connu d'homme qui te ressemble, balbutia-t-elle, le souffle court.

Un désir puissant, sauvage, déferla dans les veines de Francesca et sembla se concentrer au creux de son ventre. Tout son être était tendu vers un besoin impérieux, un désir qu'elle ne connaissait pas. Dennis l'avait bien embrassée quelquefois, mais sans provoquer un tel séisme, un tel embrasement de tous ses sens. Son corps d'ailleurs ne s'était encore jamais embrasé pour qui que ce soit.

Le seul homme qu'elle ait connu intimement, c'était ce fameux « Monsieur-Beau-Parleur ». Tout s'était passé très vite. Il n'y avait eu ni caresses ardentes, ni mots doux échangés. Elle n'avait pas senti cette sorte de chaleur se répandre dans son corps. Après cette expérience, elle avait considéré l'amour physique comme une chose dont elle pouvait aisément se passer.

Il y eut un bruit imperceptible lorsque Max défit la fermeture de son soutien-gorge. Elle eut tout juste le temps de sentir l'air frais balayer ses mamelons, avant qu'il ne les recouvrît de ses mains larges et tièdes. Deux mains caressant sa peau nue, pétrissant ses seins, faisant surgir des sensations inconnues dans tout son corps.

Impossible de contrôler ce qui se passait en elle-même.

Cédant la place à la femme enflammée qui l'habitait et qui ne demandait qu'à voir son désir satisfait, elle posa les mains sur celles de Maxim pour l'encourager à presser plus fort les paumes contre ses seins.

Maxim marmonna quelques mots inintelligibles, visiblement poussé par la même force que celle qui venait de surgir en elle. Il lui remonta sa chemise sur les épaules et pencha la tête.

Fran cria lorsque sa bouche virile entra en contact avec sa peau. Elle songea en un éclair qu'elle aurait dû se sentir gênée par un acte pareil. Mais ce n'était pas le cas. Max déposa une série de baisers doux et langoureux sur ses seins et elle se sentit merveilleusement désirée.

Mais quand les lèvres du prince se refermèrent sur un mamelon et qu'il se mit à le mordiller tendrement, elle oublia tout. Le vide se fit dans son esprit et son corps s'abandonna à la volonté de Maxim. Elle ignorait ce genre de volupté, c'était la première fois qu'elle l'éprouvait, mais elle aurait voulu que cela ne cesse jamais.

— Dis-moi ce que tu veux, Francesca, murmura-t-il, les lèvres contre la pointe dressée de son sein.

— Encore…

Elle aurait été incapable de dire si elle avait prononcé ce mot à haute voix. Elle ne savait qu'une chose : elle avait besoin de Maxim, besoin de tout ce qu'il pouvait lui donner.

Mais soudain, le visage de Maxim fut absorbé par le brouillard. Elle l'entendit murmurer : « Encore, encore beaucoup plus… » La promesse prononcée d'une voix rauque projeta une vague chaude dans une région de son corps qu'elle reconnut à peine.

Le bateau se balança doucement lorsque Max fit remonter l'étoffe de sa jupe le long de ses cuisses. Un air froid lui effleura les jambes. Puis deux mains puissantes la saisirent et elle sentit une chevelure drue la caresser. Un sillon de baisers brûlants remonta lentement sur ses jambes, sur ses cuisses, plus haut, plus haut… Les mains suivirent, la caressant avec douceur et fermeté. Puis elle sentit le souffle de Maxim contre la moiteur de sa propre chair.

— Max, je n'ai jamais…, murmura-t-elle dans un accès de panique.

Les lèvres viriles effleurèrent son slip de dentelle et elle eut l'impression que le souffle de son bien-aimé pénétrait tout droit en elle.

— Oh, je t'en prie, je…

— Francesca, fais-moi confiance.

Le slip glissa le long de ses cuisses. Au plus secret d'elle-même, elle sentit la caresse de deux mains, d'une bouche ferme.

Elle crut perdre l'esprit lorsque le doigt de Maxim se posa sur l'entrée secrète de son corps.

Elle retint son souffle, attendant désespérément qu'il mette un terme à cette merveilleuse torture. Avec une lenteur voulue, il pressa son doigt plus profondément en elle. Fran battit des paupières et ferma les yeux. Ses muscles se pressèrent autour de lui, malgré elle. Un plaisir exquis, insensé, s'empara d'elle lorsqu'il pénétra en elle en accélérant peu à peu la cadence de

120

son mouvement. L'espace d'une seconde, elle songea qu'on ne pouvait rien éprouver de plus délicieux que cette sensation.

Elle se trompait.

A l'instant où il la caressa du bout de la langue, elle crut mourir et renaître dans la même seconde. Aucun homme ne l'avait jamais touchée ainsi, embrassée ainsi. Et elle était si heureuse de penser que ce fût Max, l'homme qu'elle aimait. Il lui faisait découvrir un univers où le contrôle de soi n'avait pas cours. Où elle pouvait se permettre de s'abandonner totalement.

Avec ses mains, sa bouche, il l'emmena au septième ciel et plus haut encore. Elle se tordit de plaisir en gémissant, en murmurant son nom. Elle s'arqua vers lui, pour mieux aller à sa rencontre.

Protégée par l'épaisse couche de brouillard qui les enveloppait, elle cria lorsqu'une onde électrique déferla dans tout son corps, l'emplissant d'une chaleur infinie. Et elle se donna corps et âme à l'homme qu'elle aimait.

8.

Maxim reprit péniblement son souffle. Le désir lui tenaillait les reins. Il avait besoin d'elle, il voulait la posséder. Ici, dans ce bateau et sur-le-champ. Il croyait encore entendre ses gémissements éperdus. Il savait qu'elle le désirait aussi. Son corps était brûlant, fiévreux, elle était prête à le recevoir, elle voulait beaucoup plus que ce qu'il venait de lui donner.

Mais il n'avait pas de protection, pas…

Tout à coup le bateau se remit en mouvement, accompagné par un bruit de moteur. Quelqu'un avait pris la décision à sa place, songea Maxim, dépité. Le brouillard commença de se dissiper. Trop tôt. Bigrement trop tôt ! Plus le temps de se poser des questions, de réfléchir. Il fallait remettre de l'ordre dans leur tenue vestimentaire avant que la brume ait totalement disparu.

— Que se passe-t-il, Max ?

La voix de la jeune femme était faible. Mais elle contenait une indéniable nuance de désir. Un désir aussi impérieux que celui qui courait dans les veines de Maxim.

— Les bateaux se remettent en route. Le brouillard s'est dissipé plus tôt que d'habitude ce soir. Dieu sait pourquoi, marmonna-t-il en proie à une intense frustration. Dieu n'a rien à voir là-dedans d'ailleurs, c'est le diable qui nous joue ce mauvais tour.

Il l'entendit murmurer quelques paroles de contrariété, puis il y eut un bruit de tissu qu'on remet en place.

— Cela arrive-t-il souvent ? Je veux dire… que le brouillard disparaisse plus tôt ?

— Pas plus d'une dizaine de fois dans l'année. Donne-moi la main.

Il l'aida à se relever et à reprendre place sur le banc. Francesca se tourna vers lui. Ses yeux brillaient, ses joues étaient roses.

— Tu crois que quelqu'un va deviner ce qui s'est passé ?

— Non.

Il n'avait qu'une envie : l'embrasser de nouveau. Oublier où ils étaient, ce qu'elle venait de lui faire éprouver. Et surtout, ne pas penser.

Il tendit la main, lissa les cheveux de la jeune femme et fit passer une mèche derrière son oreille.

Tandis que le bateau avançait doucement vers le port, ils ne se quittèrent pas des yeux. Les pupilles brunes de Francesca exprimaient un mélange d'émerveillement et d'étonnement qui le bouleversa. Elle voulait savoir ce qu'il ressentait, ce qu'il pensait.

Mais elle ne voulait pas poser de question.

Et il n'était pas près de lui avouer la vérité.

Il lui tourna le dos. La brume qui, un instant auparavant les dérobait aux regards, finit de se dissiper. Mais ce qui ne disparut pas en revanche, ce fut la chaleur. La chaleur du corps de Francesca qu'il croyait encore sentir contre lui, le goût de son corps qui flottait encore sur ses lèvres. Et l'écho de son cri quand elle avait sombré dans la jouissance.

Non, tout cela ne disparaîtrait pas. Cela demeurerait à jamais gravé dans son esprit. Que s'était-il donc passé dans ce bateau ? Maxim avait pourtant connu bon nombre de femmes à qui il avait donné du plaisir autant qu'il en avait reçu. Mais jamais il ne s'était senti aussi… abasourdi.

Avec Francesca, tout était différent. Et cette différence… lui posait un véritable problème.

C'était un peu comme un jeu qui vous prenait en otage et ne vous lâchait plus. Il savait qu'il ne gagnerait pas, mais rien n'aurait pu l'empêcher de jouer. Pourquoi ne s'était-il pas détourné d'elle au moment où il l'avait rencontrée ? Pourquoi n'était-il pas resté à Paris ? Pourquoi lui avait-il proposé de prolonger son séjour à Llandaron ?

Une brise salée fouetta son visage crispé. Il avait persisté à la voir, il était revenu au palais et il l'avait invitée à sortir, car jamais dans sa vie il n'avait désiré une femme comme il la désirait, elle. Francesca l'atteignait au plus profond de lui, à tous les niveaux. Et cela le rendait fou ! Le pire, c'était qu'il savait que, s'il cédait à sa passion, s'il prenait ce qu'elle lui offrait si volontiers, il aurait à faire face à un désir ardent, une flamme qu'il ne parviendrait pas à contrôler et qu'il ne saurait éteindre !

Le bateau atteignit la jetée. L'adolescent à l'allure nonchalante qui les avait aidés à embarquer un peu plus d'une demi-heure auparavant les fit accoster et amarra l'embarcation. Maxim sauta le premier sur le ponton, puis aida Francesca à sortir de la barque. Elle lui sourit d'un air timide, avec une expression incertaine dans son regard. Maxim résista à l'envie de taper du poing dans les poutres du ponton. Il aurait tellement voulu lui donner ce qu'ils désiraient tant tous les deux.

Mais ce besoin insensé d'être proche d'elle — et pas seulement physiquement — lui donnait aussi envie de fuir à toutes jambes.

Ils s'éloignèrent du quai et retrouvèrent le vacarme de la fête. Francesca glissa une main sous son bras.

— Une partie d'échecs pour finir la soirée, ça te dirait ? proposa-t-elle.

Il fut sur le point de répondre *oui* et fit un effort pour chercher à prononcer le vocable *non*. Mais il se ressaisit, recouvra sa maîtrise habituelle, celle qui lui permettait de garder un esprit libre, productif, impassible.

— J'ai du travail, déclara-t-il.

Il y eut une minute de silence.

— D'accord, dit-elle enfin. Et demain ?

— Peut-être. Je planche sur un projet énorme en ce moment.

— Quelqu'un m'a dit récemment : « Tout pour le travail, rien pour l'amusement… »

— Oui. La solution, c'est de trouver l'équilibre.

— Et c'est cela que tu cherches à faire ce soir, Max ? Trouver l'équilibre ? demanda-t-elle d'un ton coupant.

C'était peut-être cela. Si le désir qu'il éprouvait pour elle n'avait pas été aussi fort, son besoin de travailler n'aurait pas refait surface. Maxim décida de changer de sujet.

— Nous avons oublié l'ours dans le bateau.

Ils se trouvaient à l'entrée de la fête foraine. Francesca se tourna et le regarda droit dans les yeux. Une pointe de défi brilla dans ses pupilles quand elle dit :

— Nous aurions dû sans doute *tout* laisser dans le bateau.

— Peut-être, acquiesça-t-il, en se traitant d'idiot en son for intérieur.

Pourquoi ne sautait-il pas sur l'occasion de lui dire ce qu'il éprouvait ?

Un froid s'installa entre eux. Il vit la jeune femme changer d'expression et son regard devenir triste. Elle laissa retomber son bras et se dirigea vers la voiture.

Tout laisser dans le bateau…

Quel mensonge. Comment pouvait-il imaginer que tout se terminait aujourd'hui ? Croyait-il pouvoir oublier, ignorer ce qui s'était passé, penser à autre chose ? Impossible.

La passion qu'il ressentait pour Francesca lui brûlait les veines.

*
**

— Tu es mon petit chéri.

Chance bâilla, puis étira ses larges pattes de chiot sur les genoux de Francesca. L'aube venait de poindre et Llandaron commençait à peine à s'éveiller. Les fleurs tournaient leurs corolles vers le soleil. Les chevaux s'agitaient dans leur stalles en attendant leur avoine.

Chance et ses frères et sœurs n'avaient pas eu besoin d'attendre le lever du soleil. Glinda leur donnait ce dont ils avaient besoin avant même qu'ils ne réclament.

Le sang battit aux tempes de Francesca. La nuit dernière, dans un bateau enveloppé de brouillard, Max lui avait donné ce dont elle avait besoin. Ce qu'elle n'avait jamais expérimenté auparavant. Dans ses bras, elle s'était sentie femme. Désirée. Elle avait cru qu'il éprouvait quelque chose pour elle.

Mais quand le brouillard s'était levé, il lui avait tourné le dos. Il l'avait ramenée chez elle et lui avait dit au revoir. Tout cela avec un air de parfaite indifférence. L'être mystérieux qui commandait au brouillard avait fort heureusement eu la sagesse de leur retirer leur abri de brume avant qu'il ne se soit réellement passé quelque chose entre eux.

De toute évidence, en présence de Max, Fran perdait ses facultés de jugement. N'avait-elle pas oublié toute prudence, en s'imaginant stupidement que Max pouvait l'aimer un peu ? Elle avait pourtant déjà vécu cela dans le passé. Elle avait déjà été séduite et plaquée par un homme ! Pourquoi ne s'était-elle pas appuyée sur cette mauvaise expérience ? Pourquoi n'avait-elle pas cherché à éviter qu'elle se reproduise ?

Fran caressa pensivement la fourrure de Chance. Quelque part, dans le tréfonds de son cœur, elle avait cru que Max n'était pas comme le séducteur auquel elle avait eu affaire autrefois. Et elle croyait toujours que s'il l'avait quittée si brusquement, cela n'avait rien à voir avec un comportement de mâle qui cherche à accumuler les conquêtes.

126

Peut-être était-elle stupide et continuait-elle de lui faire confiance parce qu'elle était amoureuse ? Mais peut-être pas. A cause de son passé, elle s'était aguerrie. Pour être sûre de tenir à l'écart les hommes mal intentionnés, elle repoussait aussi ceux qui étaient bons. Alors, allait-elle vraiment renoncer et prendre la fuite avant d'avoir pu revoir Max et parler avec lui de ce qui s'était passé la veille ?

— Bonjour !

Fran leva vivement la tête et fut éblouie par un rayon de soleil blanc et brillant. Elle battit des paupières et parvint tout de même à distinguer la silhouette de la personne qui venait d'entrer en la saluant d'une voix claire, joyeuse et mélodieuse.

Posant une main en visière au-dessus de ses yeux, elle fronça les sourcils.

— Je suis désolée, je ne vous vois pas.

La silhouette s'approcha, masquant un peu le soleil. Fran vit qu'il s'agissait d'une grande femme mince d'une soixantaine d'années dont l'allure générale lui rappela vaguement Audrey Hepburn. Elle se tenait à quelques pas d'elle, vêtue d'une longue robe blanche et argentée. Ses pieds étaient chaussés d'élégantes ballerines blanches. Une tiare de saphirs et de diamants était posée sur ses courts cheveux gris. Cette femme était sans aucun doute un membre de la famille royale. Mais alors, pourquoi Fran ne l'avait-elle pas encore rencontrée au palais ?

— Bonjour, répéta l'inconnue en souriant.

Son sourire avait quelque chose de juvénile et Fran lui sourit de bonne grâce en retour.

— Bonjour.

— Vous êtes bien le Dr Charming ?

Le ton de sa voix, à la fois doux et majestueux, trahissait une éducation exceptionnelle. Cette personne avait certainement fréquenté les écoles les plus prestigieuses. Malgré cela, elle n'avait pas pour le reste des mortels l'attitude méprisante qu'affichaient certains yuppies de Los Angeles.

— Je vous en prie, appelez-moi Fran tout simplement.

Francesca fit mine de se lever mais son interlocutrice lui fit signe de ne pas quitter sa place. Avec une grâce mêlée d'assurance, elle traversa le bureau et vint se pencher au-dessus de la caisse des chiots.

— Glinda a bien travaillé, n'est-ce pas ?

Fran acquiesça.

— En effet. Les chiots sont magnifiques.

Cette femme inconnue l'était également. Plus elle s'approchait et plus sa beauté devenait évidente. Ses traits aristocratiques étaient finement ciselés, ses hautes pommettes étaient d'un rose pâle et délicat.

— Le roi m'a permis de faire mon choix dans la portée.

Une lueur d'intérêt apparut dans les pupilles violettes de l'inconnue. Elle désigna le chiot roulé en boule sur les genoux de Fran et demanda :

— Qui est celui-ci ?

— Je l'ai baptisé Chance.

— C'est celui que vous avez sauvé ?

— Oui.

— Vous êtes très forte, Fran. Félicitations.

— Ce n'est rien, fit Fran en secouant la tête. C'est mon métier de…

— De sauver la vie des autres ?

— Cela arrive parfois.

— Quelqu'un d'autre ici a besoin d'être sauvé, Fran.

Le regard de la jeune femme se posa sur la caisse. Sa compagne laissa fuser un rire amusé.

— Non, il ne se trouve pas là !

— Je suis désolée, balbutia Fran, intriguée. Je ne comprends pas ce que vous voulez dire.

— Vous comprendrez bientôt, ma chère.

L'inconnue eut un petit sourire énigmatique. Puis elle tourna les talons et se dirigea vers la porte, dans le couloir inondé de soleil. Les rayons lumineux se reflétèrent sur la robe argentée et sur la tiare de diamants, renvoyant à Fran un halo de lumière chatoyante.

— Excusez-moi…

Fran s'interrompit en constatant qu'elle ignorait le nom de la visiteuse matinale.

— Majesté ? dit-elle à tout hasard. Attendez…

Mais elle n'obtint pas de réponse.

Les rayons du soleil pâlirent un peu. L'astre sembla s'élever davantage dans le ciel. Fran s'aperçut que l'inconnue avait disparu.

Le travail.

Maxim regarda la page qu'il avait sous les yeux et tenta de se concentrer. En vain. Depuis six heures qu'il était assis à son bureau, les colonnes de chiffres lui jouaient des tours. Elles se brouillaient, se transformaient en lignes floues puis prenaient l'allure de serpents.

Excédé, il balaya les dossiers d'un revers de la main. Il lui était arrivé plus d'une fois d'être dans tous ses états et pourtant, il était toujours parvenu à faire son travail. Mais cela, c'était avant que le Dr Charming ne vienne à Llandaron. Cette femme-là, c'était du poison pour lui ! Il balançait entre l'envie de l'envoyer au diable et celle de courir chez elle au beau milieu de la nuit pour l'embrasser et lui faire l'amour.

Son regard se posa involontairement sur le jeu d'échecs. Hier soir, en rentrant chez lui, il était venu s'asseoir devant cette table d'où il n'avait plus bougé jusqu'à 3 heures du matin. Quel imbécile ! Sa règle d'or était qu'il ne fallait pas qu'une femme devienne une obsession. Jamais. L'amour ne devait être qu'un amusement. Une distraction pour chacun des partenaires, en somme. Chacun passait un bon moment avant de se séparer. Et chacun était content, satisfait. Et surtout, *seul*.

L'arôme du rôti qu'on lui avait servi pour dîner et auquel il n'avait pas touché flottait dans la pièce. Il se mêlait au parfum épicé du feu qui brûlait dans la cheminée. Et aussi à autre chose…

Un parfum doux, frais, fleuri, qui accompagnait un bruit de pas presque imperceptible.

Maxim jura à mi-voix.

— Tu veux bien me dire ce qui ne va pas, Max ?

Ce dernier poussa un profond soupir, sans lever les yeux.

— Comment es-tu arrivée jusqu'ici ?

Il essaya de prendre un ton froid, mais sans succès. Il ne put gommer le courant d'émotion qui perçait dans sa voix.

— Les gardes me connaissent, dit-elle en venant se camper à côté de lui.

Le regard de Maxim demeura rivé sur son bureau. S'il levait la tête, s'il croisait ces yeux bruns où était inscrit le désir, il était perdu. Ou sauvé, selon les points de vue.

— La porte n'était pas fermée à clé, poursuivit-elle. Ce devait être pour une bonne raison, non ?

Il ignora le soupçon d'espoir — ou peut-être d'appréhension — qui se cachait derrière cette question.

— J'attends une visite.

— Eh bien, je suis là, rétorqua-t-elle en posant une main sur la sienne.

Un sourire involontaire se forma sur les lèvres de Maxim. Quelle femme ! Elle avait du cran, elle était sexy, irrésistible. Elle le rendait fou. Il secoua la tête, mais laissa sa main sous celle de Fran.

— Je ne pensais pas que nous nous verrions ce soir, dit-il.

— Parce que tu avais du travail ?

— Exactement.

— Je ne te crois pas.

— Pardon ?

Sans réfléchir, il leva les yeux. Quelque chose lui comprima la poitrine et une bouffée de désir lui embrasa les reins. Elle n'avait pourtant pas une tenue vestimentaire extravagante. Dans le style chemise de nuit transparente, ou imperméable sans rien dessous… Elle n'avait pas besoin de ce genre de chose pour séduire. Avec son simple sweater bleu, son jean, ses cheveux attachés sur la nuque, elle était belle à couper le souffle.

Elle posa sur lui son regard brun et direct dans lequel brillait une flamme de passion.

— Ecoute, Max, si tu as changé d'avis, il n'y a aucune raison que je reste…

— Rien n'a changé.

— Alors, que se passe-t-il ?

Ce qui se passait, c'était que la coquille derrière laquelle il s'était toujours protégé craquait de toutes parts. Et si elle ne sortait pas d'ici tout de suite, il allait lui arracher ses vêtements et la posséder tout entière !

Au diable le self-control.

Fran prit son silence pour une preuve d'hostilité. Elle lui lâcha la main et alla se camper devant la cheminée.

— Tu te rappelles le jour où nous nous sommes rencontrés ? demanda-t-elle en lui tournant le dos. Nous avons parlé des choix qu'il fallait faire dans la vie.

— Je m'en souviens.

— Eh bien, Max, le moment est venu pour toi de faire un choix. Il faut que tu sois honnête.

La tension qui régnait dans la pièce était presque palpable. Max se leva et repoussa brusquement sa chaise.

— Tu veux que je sois honnête ? D'accord.

131

En quatre enjambées, il eut traversé le bureau. Il agrippa la jeune femme par les épaules et lui fit faire volte-face.

— J'ai tellement envie de toi que tout mon corps me fait mal. Je n'avais encore jamais eu besoin de qui que ce soit, Francesca. Tu entends ? Jamais. Mais j'ai besoin de toi, ajouta-t-il avant de plaquer les lèvres sur les siennes.

Le cœur de Francesca cogna si fort dans sa poitrine qu'elle eut l'impression que sa cage thoracique allait se briser. Avait-elle bien entendu ? Maxim avait envie d'elle, *besoin* d'elle. Ce qui s'était passé dans le bateau n'était pas dû à un simple coup de tête, ce n'était pas un fantasme passager. Et la réaction que Maxim avait eu par la suite s'expliquait. Il n'avait pas voulu la rejeter, mais le désir intense qu'il éprouvait pour elle l'effrayait. Tout comme l'espoir qu'elle ressentait l'effrayait, elle.

Fran chercha le regard de Maxim, brûlant de tendresse et de passion. Et elle comprit qu'elle pouvait s'offrir à cet homme, puis s'éloigner de lui quand le moment serait venu. Elle avait changé depuis sa première rencontre décevante avec un séducteur sans scrupule. A présent, elle était vraiment une femme et elle était prête à accepter deux semaines de bonheur avec l'homme qu'elle aimait.

Elle avait déjà renoncé à se maîtriser. Il ne lui restait plus qu'à renoncer aussi à ses rêves de petite fille et à accepter une magnifique réalité.

Avec toute la force de son amour, elle glissa une main sur la nuque de Maxim et attira sa bouche vers la sienne. Quand leurs lèvres se touchèrent, elle lui donna une série de petits baisers, lui caressa les lèvres du bout de la langue jusqu'à ce qu'il cède et lui livre le passage. Il poussa alors un grognement de plaisir et Francesca sentit une flamme prendre naissance dans son ventre et un torrent de lave en fusion se répandre entre ses cuisses.

— Prends ce que tu veux, Max, murmura-t-elle contre sa bouche.

132

Il s'écarta très légèrement et dit :

— Mon avenir ne m'appartient pas, Francesca. Dans une semaine et demie, au cours du bal masqué traditionnel, je dois annoncer à mon pays…

— Non.

— Si, pourtant. Il faut que tu comprennes.

— J'ai déjà compris.

Elle leva les yeux et soutint sans ciller le regard de son bien-aimé.

— Je ne suis pas idiote, Max. Je sais que dans une semaine et demie il faudra que je te fasse mes adieux. A Llandaron. Et à tous ses habitants.

— Tu ne comprends pas…

— Je comprends très bien, affirma-t-elle avec force.

Elle sentit les flammes lui brûler le dos. Des gouttes de sueur roulèrent sur ses épaules.

— Il nous reste dix jours, Max. Veux-tu que nous les passions séparés l'un de l'autre… déchirés de désir ?

Elle se pressa contre lui et perçut contre son ventre l'évidence de son désir.

— Ou préfères-tu que nous les passions ensemble, dans ton lit ?

Elle vit la nuance de ses yeux s'altérer. Ses pupilles passèrent du noir de braise à un bleu presque électrique. Un grognement sourd franchit les lèvres de Maxim et il murmura :

— Bon sang… je ne peux pas te résister.

Et tout à coup, ses lèvres viriles écrasèrent celles de Francesca. Ses bras se glissèrent autour d'elle et il la plaqua contre sa poitrine. Un délicieux frisson parcourut le dos de la jeune femme et ses seins se gonflèrent à en être douloureux. Leurs gestes se firent incontrôlables. Max l'embrassa avec une passion éperdue et elle sentit contre ses seins les battements désordonnés de son cœur.

Elle lui abandonna son corps, consciente qu'elle offrait également son cœur et son âme… si toutefois Maxim en voulait. Vacillante, elle s'accrocha à lui, renversant la tête pour mieux lui donner sa bouche, cherchant désespérément un plaisir dont quelques jours auparavant elle ne soupçonnait même pas encore l'existence.

Elle voulait sentir la peau nue et chaude de Maxim sous ses doigts. Les mains tremblantes, elle lui dégrafa sa ceinture. La fermeture Eclair glissa, le jean tomba sur ses cuisses. Pour ne pas être en reste, Maxim lui ôta en un clin d'œil son sweater et son jean. Le bruit de leur respiration haletante emplit la pièce.

— Francesca, je ne pourrai pas aller lentement, marmonna-t-il en lui agrippant les hanches.

Elle étouffa un petit cri. Elle se sentait perdue, complètement vulnérable entre les bras de Maxim.

— Je ne veux pas que tu ailles lentement, murmura-t-elle en écartant les pans de sa chemise sans se soucier du tissu qui se déchira sous ses doigts.

— Dis-moi ce que tu veux.

— Je te veux, toi. Je veux te sentir en moi.

Maxim laissa sa main glisser sur le ventre nu de Francesca. Ses doigts s'arrêtèrent entre ses boucles sombres.

— Tu me veux, là ? demanda-t-il en faisant glisser un doigt dans sa chair moite.

— Oui…

Elle se sentit chavirer et son corps s'embrasa lorsqu'il fit glisser un deuxième doigt en elle.

— Francesca…, murmura-t-il, la voix rauque.

— Max… je te veux. Toi. Je t'en supplie.

Inspirant violemment, il la souleva dans ses bras et l'emporta dans la chambre. Avec des gestes doux, il la déposa sur le lit. Elle sentit le contact frais des draps de satin contre sa peau brûlante. Puis le matelas ploya sous le poids de Maxim. Il tendit la main vers la table de chevet, sortit une petite enveloppe d'aluminium du tiroir et l'ouvrit rapidement.

— Laisse-moi faire, chuchota Francesca en lui prenant le préservatif des mains.

Elle sourit et baissa les yeux, découvrant son sexe dur, tendu. Elle n'avait encore jamais partagé une telle intimité avec un homme. Mais avec Max, tout lui paraissait naturel.

Elle posa les mains sur lui, éprouvant la douceur satinée de sa peau et le sentit durcir encore sous la caresse de ses doigts. Maxim poussa un gémissement d'impatience. Alors, son désir se fit presque sauvage. Il repoussa Francesca sur le lit, lui écarta les jambes et s'enfonça profondément en elle.

La jeune femme laissa échapper un petit cri de surprise et de plaisir. Ses ongles se pressèrent dans le dos de Maxim et elle se laissa emporter au rythme de ses mouvements, soulevant les hanches pour mieux venir à sa rencontre.

Très vite, Maxim lui fit perdre le peu de contrôle qu'elle avait encore sur son propre corps. Malgré elle, ses muscles se contractèrent. Elle crut perdre la tête et son cri de plaisir déchira le silence de la chambre.

Maxim donna encore un puissant coup de reins. Un long frémissement le traversa, sa tête retomba en arrière et il enfonça les doigts dans les hanches de sa compagne lorsque la jouissance déferla en lui.

Au bout d'un moment, il roula sur le côté, prit Francesca dans ses bras et la serra étroitement contre lui. Une fine couche de transpiration couvrait son torse musclé, son cœur battait à tout rompre. La joue posée sur sa poitrine, Fran sourit doucement. Elle avait fait l'amour avec l'homme de ses rêves. Elle croyait vivre un merveilleux fantasme. Un conte de fées.

Elle ferma les yeux, essaya de ne pas penser, de ne pas se représenter la réalité. Elle voulait que ce moment délicieux se prolonge. Elle voulait dire à Maxim ce qu'il représentait pour elle.

Mais au fur et à mesure que son corps retrouvait sa température normale et que sa respiration reprenait son rythme habituel, elle recouvrait, elle, ses esprits. Il fallait qu'elle soit courageuse.

— Je devrais sans doute retourner dans ma chambre.

Max la serra encore plus fort contre lui et chuchota à son oreille :

— Non, tu n'iras nulle part.

Courageuse… *et forte*.

— Quelqu'un risque de me voir si je tarde trop à rentrer.

Elle parvint à échapper à l'étreinte de Max et s'assit dans le lit.

— N'était-il pas question de passer tout le temps qui nous restait dans mon lit ? fit-il avec une moue boudeuse.

Francesca se leva en enroulant le drap autour de ses épaules. Elle aurait pu passer sa vie entière dans le lit du prince ! Mais il ne fallait pas penser à cela, ce n'était pas réaliste. Il fallait au contraire qu'elle s'habitue à le quitter… si elle voulait survivre à leur prochaine séparation.

— C'était juste pour… faire l'amour, lui rappela-t-elle.

Maxim tendit la main et agrippa le drap.

— Reviens dans le lit, Francesca.

Son regard était irrésistible. Il était allongé là, nu, avec son sourire séduisant, ses muscles superbes, son désir qui renaissait déjà. Francesca sentit une onde de chaleur lui parcourir le dos, s'insinuer le long de ses cuisses.

Tenter de résister à Maxim, c'était comme refuser de l'eau dans le désert. C'était impossible.

— Reviens dans le lit, répéta-t-il en tirant sur le drap.

— Pour dormir ? s'enquit-elle, consciente que sa volonté commençait à flancher.

— Oui.

136

Une lueur étincela dans ses yeux bleus quand il arracha le drap qui l'enveloppait. De ses deux mains puissantes, il la souleva au-dessus de lui. Son sexe tendu pénétra en elle.

— Nous dormirons, mais plus tard, dit-il dans un souffle. Beaucoup plus tard.

9.

Francesca gravit les marches du palais tout en souriant pour
elle-même. Aujourd'hui, tout lui paraissait possible. Les animaux
pouvaient chanter et danser comme dans les dessins animés
de Walt Disney. De méchantes reines envoyaient des pommes
empoisonnées aux gentilles princesses et de beaux princes
combattaient les dragons le jour, puis allaient faire l'amour à
leurs belles dames la nuit.

Une brise tiède souleva ses cheveux blonds et le soleil matinal
projeta ses rayons déjà chauds sur ses épaules. Peut-être ne faisait-
il pas si chaud que cela, d'ailleurs… mais elle avait accumulé
tant de chaleur en elle pendant la nuit merveilleuse qu'elle venait
de passer avec Maxim.

A cette pensée, elle sourit de plus belle.

Elle n'aurait jamais cru être un jour aussi désirée et aussi…
emplie d'amour. « Marcher sur un nuage »… Jusqu'ici cela
n'avait été pour elle qu'une expression romantique et un peu
niaise. Quant à « merveilleusement heureuse », ce n'était qu'un
fantasme inaccessible.

Elle salua le majordome d'un petit signe de tête et pénétra
dans le hall majestueux. Il lui avait paru préférable de quitter le
lit de Maxim et de se faufiler discrètement jusqu'à sa chambre
avant que le personnel du château ne soit levé. Elle ne voulait
pas provoquer de commérages.

Mais comme toute femme amoureuse, elle regrettait de ne pas être restée au creux du lit, blottie contre le corps nu et chaud de son prince. D'autre part, elle ne risquait pas de croiser qui que ce soit à cette heure de la matinée, à l'exception du majordome et peut-être d'une femme de chambre ou deux.

— Bonjour, docteur.

Francesca inspira violemment et un nœud d'anxiété se forma dans sa gorge. Elle avait parlé trop tôt ! Elle se retourna très lentement. Son regard se posa sur le roi. Celui-ci était vêtu d'un costume à la fois décontracté et élégant.

— Bonjour, Majesté.

— Belle journée.

— En effet.

Pourquoi fallait-il que sa gorge se noue ? On aurait dit une petite souris effrayée !

— Vous êtes bien matinale.

Francesca porta machinalement la main à ses cheveux. Mon Dieu ! Quelle allure avait-elle ?

— Oui. Je suis juste allée…

— Voir Glinda et ses chiots ?

— Oui.

Le mensonge s'était échappé de sa bouche trop facilement. Pourquoi prenait-elle même la peine de mentir ? Selon toute vraisemblance, le roi savait très bien d'où elle venait.

Francesca plissa le front. Il savait d'où elle venait… et cependant il faisait preuve de beaucoup de tact. Un vrai gentleman. Il ne voulait pas la mettre dans l'embarras.

Le roi passa une main sur sa joue ombrée de barbe.

— D'après ce que m'a dit Charlie, vous vous êtes entichée de l'un des chiots ?

— Je les adore tous, Majesté. Mais je dois avouer que j'ai un attachement spécial pour Numéro Six.

139

— Vous aimeriez sans doute le ramener en Amérique avec vous ?

Les lèvres de Fran s'arrondirent de surprise. Le roi parlait-il sérieusement ? Emporter Chance avec elle ?

— Vraiment ?

Le roi acquiesça avec un franc sourire.

— Il est encore un peu trop jeune, fit-elle, mais…

Le souverain balaya cette objection d'un geste de la main.

— Dès qu'il sera sevré et vacciné, je vous le ferai parvenir.

Francesca demeura sans voix. Le roi ne se contentait pas d'être un vrai gentleman, il était aussi extrêmement généreux.

— Considérez cela comme un présent de ma part, en récompense pour votre dévouement.

— Majesté, je n'ai fait que mon travail. Je ne mérite pas ce cadeau supplémentaire.

— Cela me ferait plaisir, Francesca.

Une soudaine appréhension déferla dans le cœur de la jeune femme. Le roi l'avait-il déjà appelée par son prénom ? A la réflexion, non, cela ne s'était encore jamais produit.

Il y avait anguille sous roche. Toutefois, Francesca n'aurait pas su dire d'où provenait le danger.

— Llandaron est un pays merveilleux, reprit le roi, toujours souriant.

Toutefois, l'expression de ses yeux demeura grave.

— Mais le charme de l'île est parfois trompeur.

La vague d'appréhension se déroula brusquement, comme un ressort. Au plus profond d'elle-même, Fran fut traversée par une intuition. Elle comprit que ce n'était pas par pure générosité que le roi lui proposait de prendre Chance avec elle.

Il ne tarda pas à lui révéler la vraie raison de son geste :

— Nous ne vivons pas dans un pays de contes de fées.

Il pinça les lèvres. Puis il prit une profonde inspiration et poursuivit :

— Non. Il n'y a pas de conte de fées. Du moins, pas pour la famille royale. Nous ne pouvons pas nous payer le luxe de rêver. Notre engagement envers le peuple de Llandaron est de la plus haute importance. Nous devons nous consacrer à la gestion de notre pays et offrir à ces gens la stabilité qu'ils réclament. Nos responsabilités sont bien concrètes.

Fran eut l'impression de rétrécir sous le regard du roi, comme Alice au pays des merveilles. Pourtant, l'avertissement qu'il lui adressait ne contenait aucune note de méchanceté ou d'agressivité. Tout au contraire. Ses yeux n'exprimaient que le désarroi, l'inquiétude, la tristesse. Et Fran ne put que se sentir désolée pour lui.

Ce qu'il venait de lui expliquer ne lui plaisait pas, pourtant il s'était senti obligé de lui adresser une telle mise en garde.

Dans le cœur de Fran, l'euphorie céda la place à une immense mélancolie. Comment aurait-elle pu soutenir le regard de cet homme et lui dire qu'elle comprenait ? Qu'à la fin de la semaine prochaine, elle partirait en abandonnant derrière elle toutes ses illusions ?

Impossible, car elle ne croirait pas elle-même à ce qu'elle dirait. Pour être tout à fait franche, elle devait avouer qu'elle se faisait des illusions. Elle ne pouvait s'en empêcher. Ce matin encore… comme une idiote, elle s'était prise à espérer de tout son cœur que Max allait tomber amoureux d'elle.

Visiblement soucieux, le roi fronça les sourcils. Peut-être aurait-il suffi qu'elle fasse un signe d'assentiment pour que son visage s'éclaire ? Mais même cela, elle n'en était pas capable. Elle n'avait qu'une envie : s'échapper. Il lui sembla que sa chambre était à des kilomètres de là, inaccessible…

— Oliver ? Où étiez-vous passé ?

Fran se rendit compte qu'elle avait suspendu son souffle. Elle se remit à respirer normalement et regarda par-dessus son épaule.

Une femme vêtue d'une robe jaune pâle apparut dans l'embrasure. C'était l'inconnue qui était entrée dans l'écurie la veille.

— Je viens, Fara.

Le roi sourit gentiment à Fran et expliqua :

— Veuillez m'excuser, docteur. Ma sœur tient beaucoup à ce que nous prenions le petit déjeuner à cette heure très matinale. Elle vient de passer deux mois en Inde et son horloge interne est quelque peu perturbée par le décalage horaire.

— Je comprends, dit Fran en inclinant la tête.

Elle regarda le roi s'éloigner, tout en se demandant pourquoi elle n'en profitait pas pour filer se réfugier dans sa chambre. Attendait-elle un signe de reconnaissance de la part de la belle princesse ? Celle-ci sembla avoir entendu sa prière silencieuse, car elle lui fit un petit clin d'œil amical juste avant de disparaître dans la salle à manger avec son frère.

Un mystère éclairci, songea Fran en gravissant les marches d'un pas lent. La sœur du roi. Et la tante de Maxim.

Un autre membre de la famille royale, qui aimait sans doute plus que tout son pays et son peuple. Un tel engagement ne pouvait susciter que l'admiration. Donc, où était le problème ? Francesca elle-même avait toujours été une femme raisonnable, responsable. Elle était sur le point d'ouvrir une clinique high-tech, réalisant ainsi le rêve de toute une vie. Elle était donc bien placée pour comprendre ce que signifiait le sens du devoir et de l'honneur. Elle aurait dû être capable d'accepter le destin et surtout, les choix que faisaient les autres.

Mais il y avait un hic… A l'idée de ne jamais revoir l'homme qu'elle aimait, son cœur se serrait d'angoisse.

C'est avec un air de chien battu que Francesca franchit les quelques mètres qui la séparaient de sa chambre et qu'elle s'effondra sur le lit qui n'avait pas été défait. Les paroles du roi, sa mise en garde, tournaient dans sa tête et la glaçaient de tristesse. Llandaron avait besoin d'être gouvernée par une famille royale stable. Max avait beau avoir l'apparence d'un prince charmant, ce n'était pas un personnage de conte de fées. C'était un homme qui se devait avant tout à son peuple. Et comme il l'avait dit la veille, son avenir ne lui appartenait pas.

Francesca s'allongea sur le lit. Pendant les dix prochains jours, il ne fallait pas qu'elle perde cela de vue. Il fallait qu'elle garde en tête la réalité de la situation. C'était la seule façon de quitter ce pays avec un peu de dignité… et un cœur intact.

Max leva les yeux.

— Vous avez mangé toutes les chips, docteur.

— Forcément, Majesté, répliqua-t-elle en levant les sourcils. Vous avez passé une demi-heure à réfléchir à la façon dont vous alliez riposter à l'attaque de ma tour !

Maxim rit doucement en la regardant. Son visage était éclairé par la lueur de la pleine lune qui baignait la pièce et par le feu brûlant dans l'âtre. Elle était si belle ! Il aimait ses sourires qui avaient chacun une signification différente. Et la façon dont elle plissait le nez lorsqu'elle se concentrait sur le jeu. Il la trouvait aussi belle, là, assise près de la cheminée, que lorsqu'il l'avait tenue dans ses bras au creux du lit.

A cette pensée, une flamme de désir lui brûla les reins. Pourquoi la désirait-il à chaque moment, où qu'ils se trouvent ?

Avant l'arrivée de Francesca à Llandaron, ses aventures sentimentales ne duraient jamais plus d'une semaine. Il se désintéressait très vite des femmes qu'il rencontrait. L'une avait une silhouette à tomber à la renverse, l'autre était brillante d'intelligence… mais ces qualités ne se rencontraient jamais chez une même personne.

Francesca, cependant, avait tout. L'intelligence, la beauté, l'humour, la passion, l'énergie, la compassion, la compréhension… Il y avait presque une semaine qu'ils ne se quittaient plus. Ils allaient partout ensemble : en ville, à la plage, au lit. Et pourtant, Maxim avait le sentiment qu'il ne faisait que commencer de découvrir sa personnalité.

— Je te préviens, fit-elle en posant le menton au creux de sa main. Si tu continues à passer plus de cinq minutes à réfléchir chaque fois que tu dois jouer, je vais dévorer toutes les chips au fromage et boire ton milk-shake au chocolat !

— Toutes ces menaces ne te mèneront nulle part.

— Nulle part ? répéta-t-elle en levant un sourcil et le narguant d'un air provocant.

Le regard de Maxim glissa de ses yeux sur ses lèvres, puis sur ses seins ronds.

— Si tu continues, je balaie le jeu d'un revers de main et je te fais l'amour sur cette table.

Les bûches craquèrent dans le feu. Francesca tendit la main et posa un doigt sous le menton de Maxim.

— Tu crois que je ne vois pas clair dans tes manigances ? Tu cherches à me déconcentrer pour me faire perdre.

— Perdre ?

— Naturellement. Je suis en train de gagner, il me semble.

— Qu'est-ce que tu racontes ? Regarde mon jeu !

Capturant sa main, il lui embrassa le bout du doigt. Fran se libéra et déclara d'un air effronté :

— Croyez-moi, Majesté. J'ai bien observé votre position. C'est pourquoi je suis totalement confiante.

— Veux-tu que nous fassions un pari sur l'issue de la partie ?

— D'accord.

— Fort bien. Que suggères-tu que nous mettions en gage ?

— Nos vêtements.

— Nos vêtements ? répéta-t-il en haussant les sourcils.

Elle acquiesça d'un hochement de tête. Ses yeux étaient aussi brillants que les bûches embrasées qui se consumaient dans l'âtre.

— Chaque fois que l'un de nous gagnera une pièce, l'autre devra ôter un de ses vêtements. Logiquement, plus vite nous parviendrons à faire échec et mat, moins nous nous déshabillerons.

— Et plus le jeu traînera en longueur, plus…

— Exactement.

Tout dans l'attitude de la jeune femme dénotait une parfaite assurance. Mais les deux taches roses qui apparurent sur ses pommettes trahissaient ses véritables sentiments.

— Vous êtes prêt, Majesté ?

— Je ne me suis jamais senti aussi prêt, docteur.

Il fit avancer son fou de deux cases et lui dama un pion.

Le rose qui marquait les pommettes de Francesca s'accrut. Mais, imperturbable, elle ôta une de ses boucles d'oreilles. D'un geste sûr, elle déplaça sa reine et captura le fou de Maxim.

Un sourire se dessina lentement sur le visage de celui-ci. D'un geste fluide, il enleva sa chemise. Leurs regards se croisèrent et il vit qu'elle contemplait son torse nu. Du bout de la langue, elle humecta ses lèvres sèches. Maxim réprima un grognement. Il faudrait un miracle pour qu'ils parviennent à finir cette partie, songea-t-il.

Complètement déconcentré, il s'obligea à reporter son regard sur le jeu. Il avança un pion et prit un de ceux de son adversaire. Les mains tremblantes, Francesca ôta une deuxième boucle d'oreilles.

— Tu comptes jouer comme ça ? bougonna Maxim.

— Comment ? s'enquit-elle avec une fausse innocence.

— Les bijoux ne comptent pas, ce ne sont pas des vêtements.

— Ah non ?

— Non.

— Très bien.

Elle se pencha sous la table. Quand elle se redressa, deux escarpins étaient accrochés au bout de ses doigts.

— Ça ne vaut guère mieux, marmonna Maxim. Mais au moins, tu ne triches pas.

Francesca jeta les chaussures sur le tapis et contempla l'échiquier. Deux minutes plus tard, sa reine menaçait le cavalier de Maxim. Ce dernier émit un petit rire et captura la reine.

— Vous manquez de concentration, docteur.

Le regard de Francesca balaya l'échiquier. Comment n'avait-elle pas prévu une manœuvre aussi évidente ? Pourquoi n'avait-elle rien fait pour l'empêcher ?

— Francesca, tu auras perdu la partie et tu seras entièrement nue avant que 10 heures n'aient sonné à cette horloge, prédit Maxim.

Elle leva vers lui un regard de braise.

— N'y comptez pas trop, Majesté.

Dix minutes plus tard, c'est-à-dire à 9 h 45, Max était assis en face d'elle, vêtu uniquement de son jean. Chaussures, chaussettes, ceinture, avaient disparu. Il contempla fixement sa magnifique adversaire. Une chemise, un soutien-gorge et un slip. C'était tout ce qui lui restait. Et naturellement, son parfum sucré et fleuri qui collait à sa peau.

Bien décidé à la voir perdre et à la contempler entièrement nue, Max fit avancer sa reine et captura un cavalier.

Fran fit la moue, glissa un bras sous sa chemise, dégrafa son soutien-gorge et le fit passer le long de sa manche.

— Astucieux, docteur.

Sans même marquer une pause, elle prit la tour de Maxim avec la sienne et rétorqua :

— Merci, Majesté.

— Apparemment, nous manquons tous les deux de concentration.

146

Maxim se leva, défit la fermeture de son jean et l'enleva. Relevant la tête, il constata que Fran le contemplait.

— Tu as vu quelque chose qui te plaisait ? interrogea-t-il en levant un sourcil.

Elle esquissa un sourire amusé.

— Oui. Mais je ne serai pas satisfaite tant que tu ne seras pas complètement nu !

— Et inversement.

Il se rassit en riant et fixa les yeux sur l'échiquier. Quelle stratégie ? Quelle pièce déplacer ? Luttant pour recouvrer une peu de lucidité, il s'efforça de prévoir chaque mouvement qui allait suivre. Et tout à coup, il vit comment le jeu pouvait se dérouler. S'il le voulait, il pouvait mettre Francesca échec et mat immédiatement. Mais ce n'était pas ce qu'il désirait. Il voulait vaincre… le plus lentement possible. La voir ôter cette chemise, puis le string de dentelle accroché à ses hanches. Voilà qui serait beaucoup plus intéressant qu'une victoire facile.

Il captura un des pions qui restaient sur l'échiquier et se renfonça dans son fauteuil.

Les sourcils froncés, Francesca leva les yeux sur lui.

— Tu aurais pu faire un coup fantastique. Cela t'a échappé ?

— Mon esprit vagabonde, répliqua-t-il en nouant les mains sur sa nuque. Je pense à la beauté que je suis sur le point de contempler.

— Sur le point de contempler… ?

Avec un petit sourire satisfait, elle se leva et enleva son slip. La chemise qu'elle portait était juste assez longue pour dérober le bas de ses hanches au regard de Maxim. Et avant même qu'il ait pu pousser un soupir de frustration, elle fit avancer sa tour de deux cases, face au roi de Maxim.

— Echec et mat.

Maxim réprima un petit rire. Quelle étourdie ! Manque de réflexion. Son cavalier était là, juste dans le coin, attendant l'opportunité qu'elle venait de lui offrir. Il fit bouger la pièce lentement, très lentement… et entendit Francesca étouffer une exclamation de stupeur.

— Oh, non !

— Mais si, docteur. Je ne veux pas rater l'occasion de contempler vos superbes seins.

Elle laissa son regard s'attarder un instant sur le cavalier. Puis, dressant crânement le menton, elle se leva. Avec des gestes un peu mal assurés, elle défit un à un les boutons de sa chemise. Dans la lueur des flammes orangées, Maxim distinguait ses mamelons dressés sous la fine étoffe blanche.

Le souffle court, il regarda ses doigts remonter le long de la chemise, découvrant au fur et à mesure un ventre ferme, un petit peu de peau blanche entre les seins. Francesca fit une pause et le fixa dans les yeux. Ses mains étaient posées sur les pans de la chemise dégrafée. Elle fit glisser son regard sur son sexe durci de désir.

— Ce que tu vois te plaît ?

— Tu n'es qu'une provocatrice.

Il se rendit compte que sa voix était rauque et se demanda si Francesca avait perçu la nuance presque désespérée qu'elle contenait.

Elle ouvrit lentement sa chemise, révélant ses seins superbes, aux mamelons roses et tendus. Maxim agrippa les accoudoirs de son fauteuil quand elle fit glisser le tissu sur ses épaules et laissa le vêtement tomber à terre.

Sans plus réfléchir il se leva d'un bond et vint se camper face à elle.

— Ferme les yeux, Francesca.

— Très bien.

Il fit un geste vers l'échiquier et renversa son roi.

— Tu as entendu ce bruit ?

Elle fit signe que oui.

— J'abandonne la partie.

Francesca ouvrit vivement les yeux et regarda l'échiquier. D'un revers de la main, elle fit elle aussi tomber son roi.

— Nous avons perdu tous les deux.

Elle se tourna de nouveau vers Maxim, posa les mains sur sa taille et fit glisser son caleçon sur ses hanches.

— Et nous gagnons tous les deux.

Leurs corps se touchèrent et Maxim perdit la tête.

Il la renversa sur le tapis de laine épaisse et se hissa au-dessus d'elle. Ses yeux plongèrent dans les pupilles brunes de la jeune femme. La pensée qu'il ne serait jamais libre, ni dans son pays ni dans son cœur, le frappa comme un coup de poing en pleine poitrine. Mais il s'obligea à repousser toute pensée de son esprit et à ne plus songer qu'à son plaisir. Francesca arqua son corps au-dessous de lui, n'hésitant pas à lui faire comprendre exactement ce qu'elle attendait. Sa respiration se fit haletante, sa poitrine se souleva. Elle glissa une main sur sa nuque pour attirer son visage viril vers le sien.

Sa bouche chaude et pulpeuse rencontra la bouche ferme de Maxim et ils échangèrent un long baiser sensuel. Maxim voulait tout oublier, ne plus songer qu'à elle. Elle ouvrit les jambes, pour mieux s'offrir à son désir, tandis qu'il saisissait entre ses lèvres la pointe d'un sein qu'il se mit à mordiller doucement.

Elle poussa un cri et il sentit son désir redoubler. Aucune autre femme n'avait jamais aussi bien répondu à son attente. Elle s'offrait sans réserve, moralement et physiquement.

— Fais-moi l'amour, Max. Je t'en supplie.

Ses reins s'embrasèrent, son sang sembla entrer en ébullition. Il pressa les hanches contre elle et sentit la moiteur de sa chair contre la sienne.

Du bout du doigt, il caressa ses lèvres gonflées par ses baisers.

— Laisse-moi prendre…

— Non.

Elle tendit une main derrière elle, fouilla dans la poche de son jean et en sortit une enveloppe de préservatif.

— Je m'en occupe, dit-elle dans un sourire.

— Où as-tu trouvé ça ?

Etait-ce un élan de jalousie qui déferlait soudain en lui comme un torrent de cire brûlante ? Pourquoi avait-elle des préservatifs sur elle ?

— J'en ai trouvé une boîte dans ma trousse de toilette. C'est une amie qui m'a aidée à faire mes bagages. Elle a dû rajouter ce paquet à mon insu, pour me faire une blague. Mais… je suis bien contente qu'elle ait eu cette idée, ajouta-t-elle avec un sourire mutin.

Maxim relâcha son souffle et poussa un vague grognement.

D'un geste vif, il lui prit le paquet des mains, l'ouvrit et se protégea rapidement.

— Noue tes jambes autour de mes reins, murmura-t-il. Et serre-moi fort.

Avec un sourire de tigresse, elle s'exécuta. Maxim se souleva et, d'un seul et puissant coup de reins, pénétra profondément en elle.

Les mains posées sur ses seins ronds, il accéléra ses mouvements dans la chaleur de son corps. Elle le désirait, désirait plus, plus encore. Il le voyait, le sentait à la façon dont elle s'agrippait à lui. Alors, il glissa une main entre leurs deux corps et, sans cesser ses coups de boutoir, lui prodigua la caresse la plus intime qui soit.

Francesca cria, cria son nom. Maxim sentit ses muscles se contracter autour de son sexe. Il se retira presque complètement, pour la pénétrer encore une fois avec force et se laisser ensuite submerger par un flot de jouissance.

Au bout de quelques secondes, il bascula sur le côté, entraînant Francesca dans ses bras. Le rythme de respiration de la jeune femme ralentit peu à peu. Puis, apaisée, elle s'endormit entre ses bras.

Maxim contempla les braises rougeoyantes dans la cheminée. Ce qui avait commencé comme une simple aventure, un moyen pour lui de se libérer d'un futur sans liberté, s'était transformé en quelque chose d'intense. Quelque chose qu'il n'avait encore jamais ressenti dans sa vie. Ou du moins, jamais voulu ressentir. De l'affection, de… l'amour ?

Cinq jours… Serait-ce suffisant pour faire le tour de ce sentiment nouveau ? Il resserra l'étreinte de ses bras sur sa compagne. Il faudrait bien qu'ils s'en contentent.

Le temps semblait s'envoler à tire d'ailes, comme les oiseaux qui tournoyaient au-dessus de sa tête. Assise au bord du quai, les pieds dans l'eau, Francesca contempla les groupes de mouettes qui fendaient le ciel d'azur. C'était une journée idéale pour venir s'asseoir au bord de la mer, pêcher et voler quelques baisers à l'homme de sa vie.

A côté d'elle, Maxim recula d'un pas et lança sa ligne pour la dixième fois en cinq minutes.

— Cela fait-il huit heures ou huit jours ?

— Je ne compte pas, répondit-il. Et tu devrais faire comme moi.

La ligne passa en sifflant à côté d'elle et l'hameçon manqua son bras de justesse.

— Faites attention, Majesté.

— Je suis désolé, milady.

Avec son jean roulé jusqu'aux genoux et son T-shirt qui lui moulait les épaules, il avait une superbe allure. Aujourd'hui, il faisait penser à un petit garçon insouciant. Rien ne pouvait laisser croire qu'il était prince. Francesca aurait presque pu oublier qui ils étaient et où ils se trouvaient.

Enfin, *presque…*

Elle sortit sa ligne de l'eau pour voir si son appât se trouvait toujours accroché à l'hameçon. Il y était.

— Un jour, mon père m'avait emmenée pêcher, dit-elle. J'ai fait une énorme bêtise.

— Toi ? interrogea-t-il, en feignant d'être choqué.

— Oui, je sais. C'est difficile à croire, pourtant c'est vrai. J'ai blessé mon père à l'oreille avec mon hameçon.

— Pas possible ?

— Hélas, oui. Je n'aurais jamais cru qu'on puisse saigner autant, ajouta-t-elle en se caressant machinalement le lobe de l'oreille droite.

— Tu ne parles pas souvent de ta famille, ça m'intrigue.

En effet, elle n'en parlait pas souvent et c'était mieux ainsi. Mais puisqu'elle avait commencé…

— Je n'ai plus de famille, annonça-t-elle, les yeux fixés sur l'océan. J'étais encore un bébé quand ma mère est morte. Puis, à la mort de mon père, je me suis retrouvée seule avec ma belle-mère et ses deux fils. Nous ne sous sommes jamais bien entendus.

— Pour quelle raison ?

Francesca poussa un soupir.

— Pour t'expliquer la situation en deux mots : ils portent de la fourrure. Moi, je sauve les animaux à fourrure.

Avec un haussement d'épaules, elle ajouta :

— Ils ne sont pas si horribles que ça, mais ils sont différents, voilà tout. Ce n'est pas ma famille. Tu as beaucoup de chance d'avoir une vraie famille, Max.

— Moi aussi, j'ai perdu ma mère très jeune, répondit-il sobrement. Elle a été emportée par une pneumonie.

— Je suis désolée.

— Et moi donc. Elle avait une vision très différente de la vie. Elle était comme toi, elle pensait qu'on devait pouvoir choisir.

— Ce devait être une femme merveilleuse.

Maxim se tourna pour la regarder droit dans les yeux.

— Francesca, espérais-tu fonder une famille avec Dennis ?

La jeune femme acquiesça d'un bref signe de tête.

— Je suis désolé, c'est ma faute si…

— Ce n'est pas ta faute. Dennis est un ami, pas un mari.

Une barque de pêcheurs passa au loin. Fran la suivit des yeux et ajouta :

— Je me suis trop précipitée. La prochaine fois, je prendrai mon temps.

— La prochaine fois ? répéta-t-il.

Il semblait parler d'un ton dégagé, mais Francesca perçut une trace d'irritation dans sa voix.

— La prochaine fois.

Une chaleur envahit ses joues, mais elle n'en continua pas moins :

— La prochaine fois que j'aurai un petit ami, je prendrai mon temps avant de décider si… s'il peut faire un bon mari.

Son estomac se noua. Elle ne voulait pas de quelqu'un d'autre. Elle ne voulait que Max. Comme petit ami et comme mari.

— Cette conversation ne me plaît pas trop, grommela-t-il.

— A moi non plus.

Pendant deux longues minutes, seules les vagues qui s'écrasaient contre les rochers vinrent rompre le silence. Puis Max jeta sa canne sur la jetée et agrippa la main de Francesca.

— Allons nager.

— Je n'ai pas de maillot.

Max haussa un sourcil, sans prononcer un seul mot.

— Oh, fit-elle, les joues flambantes. Mais l'eau est plutôt froide, non ?

— Je te réchaufferai.

— D'accord, acquiesça-t-elle tandis qu'une onde d'excitation la parcourait.

Maxim l'aida à se relever et l'embrassa doucement. Ils se dirigèrent main dans la main vers la plage voisine. En approchant de la mer, ils enlevèrent leurs vêtements.

Une fois dans l'eau, Max prit la jeune femme dans ses bras et la serra contre lui. Francesca ferma les yeux, noua les jambes sur ses reins et essaya de ne pas penser. De ne pas se rappeler que dans trois jours elle serait dans l'avion, en route pour la Californie.

10.

Francesca poussa un soupir d'aise et allongea les jambes dans l'herbe fraîche de la pelouse. La journée promettait d'être chaude. Le printemps se dirigeait tout tranquillement vers l'été, offrant de temps à autre des pointes de température atteignant les trente à trente-cinq degrés. Mais la chaleur ne gênait pas Francesca. De plus, une brise agréable venue de l'océan balayait l'île, pour le plus grand bien-être de ses habitants. A croire que la famille royale commandait même aux éléments de la nature !

A côté d'elle, à l'ombre d'un large boulcau aux feuilles argentées, les chiots jouaient dans un enclos que Charlie avait construit exprès pour eux. Ils grandissaient comme l'herbe au printemps, avaient un appétit féroce et se montraient pleins de vie.

En particulier son petit Chance. Un vrai clown ! Fran l'enveloppa d'un regard attendri et se demanda si le roi tiendrait sa promesse et lui enverrait le chiot quand cclui-ci serait en âge d'être séparé de sa mère.

Elle l'espérait sincèrement. La pensée de quitter Llandaron en n'emportant de l'île que ses souvenirs lui brisait le cœur.

Une nouvelle fois, la brise s'enroula autour d'elle. Francesca reporta son attention sur Ranen Turk et la jolie princesse Fara. Ranen était passé à l'écurie sous prétexte de voir les chiots et de s'assurer qu'il avait bien enregistré les recommandations de Francesca pour continuer de s'occuper d'eux après son départ.

Mais dès qu'il avait aperçu Fara, qui jouait au croquet un peu plus loin sur la pelouse, il s'était précipité vers elle.

Pas besoin d'avoir un diplôme de psychologie pour comprendre qu'il avait un sérieux béguin pour la princesse. Fait extraordinaire pour ce vieux bougon, il souriait tout en bavardant avec Fara ! Francesca sourit aussi en observant le couple disparate. Fara portait une robe de soie couleur lilas de chez un grand couturier. Ranen, lui, était vêtu de son vieux pantalon de jardin usé aux genoux et d'une chemise constellée de taches.

On disait bien que les contraires s'attiraient, non ? songea Francesca. Le prince et elle, par exemple.

Max.

Son nom résonna douloureusement dans son esprit. Comme il lui manquait ! Il avait été appelé à Londres pour une affaire urgente ce matin et il ne rentrerait pas avant ce soir. La colère et la frustration se disputaient la place dans le cœur de Francesca. Il leur restait si peu de temps à passer ensemble ! Demain devait avoir lieu le bal masqué. Le jour suivant, elle serait partie.

Une vague de désespoir faillit la submerger, mais Fran la repoussa bravement. Après tout, il fallait bien qu'elle s'habitue à l'idée de ne plus le voir.

— Son Altesse m'a encore battu.

Fran leva la tête et vit Ranen et Fara qui revenaient vers elle.

— Ne vous y trompez pas, Fran ! lança la princesse avec une lueur amusée dans ses yeux violets. Ranen m'a galamment laissée gagner.

Le vieil homme se laissa tomber dans l'herbe à côté de Fran en marmonnant :

— Je ne suis pas galant.

— Mais si, vous l'êtes ! s'exclama Fara en riant de bon cœur.

— Oh, les bonnes femmes ! fit-il en levant les yeux au ciel.

Mais Fran vit qu'il bombait imperceptiblement le torse et que ses joues prenaient une nuance rose foncé.

— Considérez que vous avez fait match nul, suggéra Fran. C'est ce que nous faisons, Max et moi, quand…

Elle se figea. Les mots résonnèrent en écho dans sa tête, comme un disque rayé répétant le même refrain. *Max et moi ! Max et moi !* Avait-elle vraiment prononcé ces paroles ? Son visage devait être rouge comme un coquelicot. Où avait-elle la tête, pour parler ainsi, à tort et à travers ?

D'accord, presque tout le monde savait que le prince et elle se retrouvaient souvent pour aller se promener, jouer aux échecs, ou autre chose. Mais utiliser une expression si personnelle, si familière, pour parler d'eux… C'était un peu comme si elle se promenait avec un panneau où serait inscrit : « J'aime le prince Maxim ! »

Fara lui sourit gentiment :

— Que disiez-vous, ma chère ?

Francesca lui rendit son sourire et la remercia silencieusement pour son tact et sa douceur.

— Que c'est beaucoup mieux quand chacun pense avoir gagné.

— Cette jeune femme a raison, Ranen.

— Bah ! Elle est trop romantique.

— Quel mal y a-t-il à cela ?

Lissant sa jupe du plat de la main, Fara ajouta :

— Si je me souviens bien, vous l'étiez aussi, autrefois.

— C'était il y a longtemps, bougonna Ranen avec un demi-sourire.

— Vraiment ? Ah… Dans ce cas, je ne devrais sans doute pas vous demander d'être mon cavalier demain soir, pour le bal masqué ?

Ranen écarquilla les yeux.

— Ah ben, ça… Vous savez que je serais très honoré de vous accompagner, Fara.

La princesse eut un grand sourire, lui fit un signe de tête et se tourna vers Francesca.

— A propos de ce bal, que pensez-vous porter demain soir, ma chère ?

Qu'allait-elle porter au bal ? Francesca n'avait même pas pensé à cela, car dans son esprit, le bal marquait le glas de son séjour à Llandaron. C'était la date fatidique, la dernière soirée qu'elle passerait avec Max avant le départ. Bien sûr, elle désirait être à son avantage quand le prince la verrait. Quand il la tiendrait contre lui pour danser…

— J'ai une petite robe de cocktail noire.

— Non, non, ma chère, protesta la princesse en lui tapotant l'épaule. Cela ne fera pas l'affaire.

— Mais je n'ai rien qui…

— Moi, si. Voulez-vous me suivre chez moi et essayer quelques petites choses ?

Francesca ne put réprimer un frisson d'excitation à la pensée de passer une robe de princesse. Des mètres et des mètres de satin, une traîne en soie…

— J'aimerais beaucoup vous accompagner, mais il ne faut pas laisser les chiots tout seuls…

— Je m'occupe des chiots, mon petit, déclara Ranen en souriant aux deux femmes. Après tout, c'est à moi que sera dévolue la tâche de veiller sur eux après votre départ.

— Merci, Ranen, dit Fran en se levant.

— Vous pourrez passer me chercher à 19 h 30, ajouta Fara.

— Je n'y manquerai pas.

Tandis qu'elles gravissaient les marches de marbre qui montaient vers le palais, la princesse ne cessa de bavarder avec animation.

— J'ai exactement la robe qu'il vous faut, ma chère. Blanche, un bustier sans manche, une taille ajustée et une jupe virevoltante. Elle sera superbe sur vous. Il faudra relever vos cheveux en chignon, bien sûr. Et je vous prêterai un de mes diadèmes.

— Oh, non, je ne veux pas.

— Ne discutez pas. Vous porterez un de mes diadèmes, je vous l'ordonne.

L'inévitable majordome leur ouvrit la porte avec sa placidité habituelle. Fara traversa le hall comme une flèche et s'élança dans l'escalier.

— Le soir où j'ai porté cette robe, le brouillard était aussi épais qu'un rideau de velours. Il s'est prolongé bien après 7 heures. Vous savez... quand le brouillard se dissipe très tôt ou très tard, cela signifie qu'il y a de la magie dans l'air.

Fran eut soudain la vision de deux amoureux dans une barque enveloppée d'une brume dense. En effet, cet instant avait eu quelque chose d'exceptionnel, de magique.

— Je me rappelle très bien ma femme de chambre, prédisant qu'il allait se passer quelque chose d'important ou d'inhabituel. Et elle avait raison !

Parvenue en haut de l'escalier, la princesse fit une pause et sourit à Fran.

— Mon père avait donné une réception ce soir-là. Quand je suis entrée dans la salle à manger, j'ai immédiatement remarqué un homme aux cheveux très bruns et aux yeux noirs. Un Français. Il était avocat. J'ai aussitôt éprouvé une forte attirance pour lui.

Fran ne put s'empêcher de songer à ce qu'elle avait elle-même ressenti pour Maxim.

— Nous avons passé toute la soirée ensemble. A parler, à danser... Il me regardait comme jamais un homme ne m'avait regardée. Je suis tombée follement amoureuse de lui au cours de cette soirée. Quand il est reparti, je n'ai pas pu l'oublier.

— Que s'est-il passé ensuite ?

— Il m'a envoyé de nombreuses lettres en me demandant d'aller le rejoindre.

Francesca eut l'impression que ses propres traits étaient tendus, crispés. Ses lèvres se desséchèrent tout à coup.

— L'avez-vous fait ?

— Non.

— Pourquoi ?

— Je pense que vous savez pourquoi, ma chère. Je ne suis pas la seule parmi les gens du gotha à avoir eu ce genre de problème.

La princesse s'arrêta devant la porte de sa suite et expliqua :

— J'ai décidé de rester fidèle à mon pays, fidèle à mon rang au sein de la famille royale. Cependant, je ne me suis jamais mariée avec un autre. Je n'aurais pas pu.

Francesca sentit un nœud douloureux se former dans sa gorge. Pourquoi la princesse lui racontait-elle tout cela ? Quelle était la morale de l'histoire ? Voulait-elle convaincre Max de renoncer à son sens du devoir ? Ou bien au contraire persuader Francesca de retourner chez elle en se résignant à son sort ?

— Qu'est-il arrivé ensuite, Majesté ? L'avez-vous revu ?

Francesca était bien consciente que ses paroles contenaient une note de désespoir. Mais elle ne pouvait dissimuler davantage son angoisse.

— Je ne l'ai revu qu'en rêve, hélas !

Fara plaça une main rassurante sur celle glacée de Francesca.

— Mais Maxim aura peut-être plus de courage que sa tante.

Elle soupira lourdement, se tourna et ouvrit la porte de son appartement.

— Du moins, je l'espère de tout mon cœur, pour notre bien à tous.

Le brouillard commençait de se dissiper lentement lorsque Maxim gravit les marches qui menaient à la porte du phare. Dès qu'il eut franchi la porte, il fut accueilli par un mélange d'arômes étranges autant qu'agréables. Des parfums qu'il n'avait plus respirés depuis l'enfance. Il remarqua que le sac de Francesca était accroché au portemanteau, comme chaque fois qu'elle venait lui rendre visite. Un sentiment de sérénité l'enveloppa.

— Que diable se passe-t-il chez moi ? lança-t-il avec bonhomie.

— Je suis là, Majesté.

Cette voix… douce et rauque à la fois.

Pendant près de quinze ans, il avait franchi cette porte chaque soir et n'avait été accueilli que par le bruit des vagues s'écrasant sur les rochers. Il avait aimé cette solitude, alors. Et puis Francesca Charming était entrée dans sa vie et lui était devenue indispensable. Elle avait changé l'équilibre de son existence, elle l'avait changé, lui. Il ne pouvait plus se passer d'elle.

Ce qui était le plus troublant, c'était qu'elle lui avait même rendu supportable l'idée de rentrer chez lui et de reprendre sa vie habituelle, dans sa cage dorée.

Maxim déposa ses bagages dans le hall et se précipita dans l'escalier, pour s'immobiliser sur le seuil de la cuisine. Elle était là. Il la contempla comme s'il ne l'avait plus vue depuis des siècles.

Les cheveux relevés sur la nuque, elle se tenait devant la cuisinière et faisait cuire un rôti. Elle ne portait qu'une simple robe d'été en coton où se mêlaient plusieurs nuances de bleu. Elle était pieds nus.

A la voir ainsi, on aurait pu penser qu'elle était chez elle et accomplissait une tache domestique banale et quotidienne. Maxim sentit sa poitrine se serrer à cette pensée.

La jeune femme leva les yeux et sourit.

161

— Bonsoir, milady, marmonna-t-il d'une voix étranglée.

Trop d'émotion, se reprocha-t-il intérieurement. Mais il n'y pouvait rien. Elle lui souriait, les joues rosies par la chaleur de la cuisinière, et elle était vraiment irrésistible.

— Tu as passé une bonne journée ? s'enquit-elle quand il se dirigea vers elle pour déposer un baiser sur sa joue.

— Pas désagréable.

Il se campa derrière elle, lui entoura la taille de ses bras et lui murmura à l'oreille :

— Mais je me sens mieux maintenant.

Elle sentait bon, sa peau était douce. Pourquoi ne pouvait-il pas vivre cet instant de bonheur chaque soir ? Rien qu'eux deux, dînant ensemble, partageant leur vie...

Maxim interrompit là ses réflexions. Ce genre de pensée n'avait pas de place dans sa vie.

— Il ne fallait pas te donner tout ce mal, Francesca. J'aurais pu...

— J'avais envie de le faire, dit-elle en calant son dos contre la poitrine solide de Maxim. Au fait, ton garde du corps m'a laissée entrer. De toute évidence quelqu'un de haut placé lui avait fait la leçon et ordonné de laisser le Dr Charming aller et venir à sa guise.

— Je me demande qui cela peut bien être.

— Quelqu'un qui sait ce qu'il veut ! répliqua-t-elle en riant.

Maxim posa le menton au creux de son épaule.

— Que prépares-tu ?

— Ton plat préféré, dit-elle en désignant la cocotte de la pointe d'une fourchette en argent. Du jambon au whisky, avec des pommes de terre.

Un flot de souvenirs remonta à la mémoire de Maxim. Il y avait bien longtemps, alors que sa mère était encore vivante, elle avait demandé au cuisinier du palais de préparer du jambon rôti au whisky et aux pommes de terre tous les dimanches soirs, pour

162

lui. Son cœur se serra. Jusqu'ici, personne ne l'avait jamais su. Personne ne s'était soucié de lui au point d'aller fouiller dans ce lointain passé.

— Merci, murmura-t-il en l'embrassant délicatement dans le cou. Comment sais-tu que…

— C'est ta tante qui me l'a dit.

— Tu as parlé avec Fara ?

— Elle ne demande pas mieux que de me renseigner sur toi. Nous avons eu une longue conversation à ton sujet.

— Seigneur ! grommela-t-il en riant.

Francesca se retourna et le considéra d'un air perplexe.

— Pourquoi diable as-tu abandonné ta sœur attachée à un arbre, dans le parc ?

— C'était un jeu ! Cathy était censée être anglaise et moi, écossais. J'étais seulement parti chercher un verre de limonade, car il faisait chaud. J'avais l'intention de la délivrer en revenant.

— Jusqu'ici l'histoire est plausible. Mais que s'est-il passé ? Tu t'es perdu en chemin ?

— Oui, exactement.

Francesca se doutait-elle que cette simple robe de cotonnade moulait ses formes à merveille ? Si quelqu'un entrait et les surprenait maintenant, que penserait-il ? Qu'ils formaient un jeune couple heureux et sans problème ?

Un désir fou surgit en lui. Il voulait être près de Francesca, se libérer l'esprit de toutes les pensées qui l'encombraient et se laisser porter uniquement par ses sentiments, ses besoins…

— Pourquoi t'es-tu perdu ? Ou plutôt, à cause de *qui ?* interrogea-t-elle en se pressant étroitement contre lui.

Peut-être éprouvait-elle le même désir que lui ? songea-t-il en se plaquant contre ses hanches rondes.

— La fille d'une femme de chambre.

Ses mains glissèrent sous le tissu de coton bleu et caressèrent les cuisses incroyablement douces de Francesca. Celle-ci poussa un gémissement étouffé. Ses paumes remontèrent très haut, plus haut. Il voulait la rendre heureuse, lui faire oublier tout le reste. Il voulait qu'elle se perde dans son désir pour lui et demeure là le plus longtemps possible.

Francesca posa la fourchette qu'elle tenait à la main et renversa la tête en arrière, sur son épaule.

— Les femmes ne sont qu'une distraction pour vous, Majesté.

Elle retint sa respiration en sentant la main de Maxim se poser sur son ventre, puis s'aventurer sous la bande de dentelle de son slip.

— Une femme, une seule, marmonna-t-il en glissant une main sur les boucles brunes entre ses cuisses.

Et il le pensait réellement. Il ne pouvait plus se passer d'elle.

Francesca inspira en étouffant une exclamation.

— Pas ici, dans la cuisine tout de même ?

— Ici même.

— Et mon repas ?

— Plus tard.

Toute pensée s'évapora de son esprit lorsque ses doigts s'enfoncèrent dans la chair moite et accueillante de sa bien-aimée.

La princesse et sa femme de chambre joignirent toutes les deux les mains en soupirant.

— Maxim ne pourra pas détacher les yeux de vous, Fran ! s'exclama Fara. Et il ne sera pas le seul. Tous les hommes en feront autant.

Fran regarda son reflet dans le miroir en pied et y découvrit une femme qu'elle ne connaissait pas. Ses longs cheveux blonds étaient remontés en chignon sur sa tête et des boucles retombaient gracieusement autour du diadème que Fara lui avait prêté. Son maquillage était d'une parfaite discrétion et ses yeux brillaient d'un éclat très spécial. Un éclat que seul l'espoir pouvait leur donner.

Son cou était long et gracieux, ses épaules nues, douces et élégantes. De longs gants blancs cachaient ses mains et ses avant-bras. La robe de ses rêves, toute de tulle et de satin, moulait les courbes de son corps. Au bas de la jupe, comme autour du décolleté, une couturière avait brodé avec talent un superbe motif noir. Fran aurait pu jurer que la femme qui la contemplait dans le miroir était une princesse.

Mais elle savait pertinemment que ce n'était pas le cas.

Peu importe ! Ce n'était pas cela qui allait lui gâcher la soirée. Quoi qu'il arrive, ce soir, telle Cendrillon, elle partirait au bal. Fran souleva la jupe et sourit en admirant ses escarpins de satin blanc. Elle irait au bal, avec ou sans pantoufles de vair !

— Etes-vous prête, ma chère ? s'enquit Fara en regardant dans le miroir par-dessus l'épaule de Fran, pour rajuster son propre diadème de saphirs et de diamants.

Fran sourit à la princesse, qui était très élégante dans un fourreau fluide de soie bleu pâle.

— Tout à fait prête.

— Vous êtes merveilleuse comme ça.

— Merci. Et… pas seulement pour la robe, précisa Fran en se tournant vers elle. Merci pour tout.

La princesse lui caressa la joue du bout des doigts.

— C'est un plaisir pour moi, ma chère enfant.

Puis elle lui prit la main et l'entraîna vers le hall. Mais au lieu de lui faire emprunter le grand escalier de marbre, elle la guida à travers plusieurs petits corridors dont Fran ne soupçonnait même pas l'existence. Des passages secrets !

Quelques minutes plus tard, elles émergèrent sur un vaste palier et les bruits de conversations et les rires des invités leurs parvinrent. Un orchestre jouait une musique entraînante.

— Nous y sommes, annonça Fara en se dirigeant vers la salle de réception.

Une sourde appréhension s'empara du cœur de Francesca, mêlée à un sentiment d'impatience. Au-dessous d'elle, le bal battait déjà son plein. Des domestiques en livrée d'apparat arpentaient en tous sens la superbe salle décorée de moulures dorées, servant du champagne et du caviar aux invités. Des femmes vêtues de robes somptueuses dansaient avec des hommes en smoking.

Fran leva les yeux et contempla le plafond dont le décor représentait un ciel de crépuscule. D'immenses portraits des membres de la famille royale ornaient les murs. Elle repéra immédiatement celui de Max et son cœur se mit à battre plus fort.

Pour une vétérinaire de Los Angeles sans un brin de sophistication, la scène avait quelque chose de surréaliste. Et même de surnaturel. Mais Francesca se sentait irrésistiblement attirée par le surnaturel. Tout spécialement ce soir.

Elle suivit Fara dans l'escalier, tout en laissant fuser un petit rire de bonheur. Ranen les attendait au pied des marches blanches. Il portait un costume sombre et il souriait, l'air heureux.

Dans l'angle opposé de la salle de bal, le prince Maxim Stephen Henry Thorne attendait l'arrivée de Francesca. Il la vit descendre l'escalier avec la même grâce fragile qu'une gazelle. Il vit son sourire timide, son expression émerveillée… et il fut empli d'un désir si vaste, si profond, qu'il sut avec certitude qu'il ne pourrait jamais l'assouvir.

A ses côtés, deux femmes essayaient de l'intéresser à leur conversation. En vain. Il ne leur prêta aucune attention. Son regard resta rivé sur celle qui était pour lui la plus belle femme du monde. Elle lui rappelait un peu le beau cygne blanc qui se promenait sur l'étang du parc. Elle était comme lui élégante, superbe et… un peu à part. En marge du monde.

Maxim s'excusa auprès des deux femmes et partit vers Francesca. Mais il était trop tard. Quand il parvint au bas de l'escalier, la belle avait déjà été ravie par le marquis de Petrenburg qui l'entraîna vivement sur la piste de danse.

Maxim serra les dents, excédé. Ah, c'était comme ça ? De toute façon, il aurait dû s'y attendre. Francesca était une nouvelle venue, vive, gaie et incroyablement belle. Tous les hommes de la cour allaient se bousculer pour lui être présentés. Il allait être obligé de leur faire comprendre qu'elle faisait partie de sa « chasse gardée » !

Dès que la musique cessa, plusieurs hommes s'avancèrent pour l'inviter. Mais Maxim arriva avant eux.

— M'accorderez-vous cette danse, docteur ?

La jeune femme virevolta. Quand elle le vit, son regard s'illumina.

— Tu es magnifique ce soir, Maxim.

— Et toi, tu es stupéfiante de beauté.

— Merci, répondit-elle avec un petit sourire modeste.

La musique recommença et Maxim la prit dans ses bras. Il était gai, d'humeur légère.

— J'ai bien cru que, prince ou pas, je ne parviendrais pas à danser avec toi !

— Que veux-tu dire ?

— Que tu as fait sensation auprès de tous ces hommes.

Francesca se pencha vers son cavalier et chuchota d'un ton malicieux :

— Et toi, je te plais ?

Tout en tournoyant sur la piste, Maxim se sentit ivre de désir. Cette femme lui faisait tourner la tête. Elle provoquait en lui tout à la fois du plaisir, de l'émerveillement et encore une foule de sentiments qu'il n'osait même pas nommer.

Et s'il l'embrassait là, maintenant ? Devant tous ces membres éminents de la noblesse de Llandaron et de diverses cours européennes ? Que se passerait-il ? Dans le fond, il se moquait éperdument de ce que diraient les gens.

Il attira donc Francesca plus près de lui, planta son regard dans le sien. Ils enchaînèrent deux danses comme cela, uniquement préoccupés l'un de l'autre, oublieux de tout ce qui les entourait.

— Je sais que de nombreuses femmes sont impatientes de danser avec toi à leur tour, dit Francesca en levant le menton. Tu devrais sans doute leur laisser leur chance, tu ne penses pas ?

— Non.

Les autres femmes ? Que lui importaient les autres femmes ?

— Ce soir il n'y a que toi, Francesca. Que toi.

Avant qu'elle ait pu lui répondre, la musique cessa. Un valet de pied s'avança vers Maxim.

— Le roi désire s'entretenir avec vous, Majesté. Il vous attend dans la bibliothèque.

En un instant, la passion s'effaça dans le cœur de Maxim, cédant la place à la colère. Maxim savait exactement pourquoi son père voulait le voir. Il l'avait déjà maintes fois averti de ce qui devait se passer ce soir.

La prince serra brièvement la main gantée de Francesca et murmura :

— Je reviens.

— Dépêche-toi, fit-elle avec un clin d'œil. Nous n'avons que jusqu'à minuit.

— Minuit ? Pourquoi ? demanda-t-il, la gorge soudain nouée par l'angoisse.

— Je plaisante. C'était une allusion à Cendrillon. Tu sais, le prince, la citrouille, minuit…

Maxim hocha la tête, mais son expression demeura grave.

— Ah ! Très bien.

Cinq secondes ne s'étaient pas écoulées après son départ que Charles Crawford, un play-boy héritier d'une immense fortune et doté d'un cerveau aussi limité que son ego était démesuré, se précipita vers Francesca. Les poings crispés, Maxim quitta la salle de bal d'un pas raide et pénétra dans la bibliothèque.

Installé dans son fauteuil préféré, le roi sirotait tranquillement un cognac.

— J'ai parlé avec le duc d'Ernhart, annonça-t-il sans préambule. Il veut bien nous accorder la main de sa fille.

Maxim demeura debout face à son père.

— Vraiment ? C'est très généreux de sa part.

— Pas de sarcasme, Maxim. Il s'agit des affaires de l'Etat.

Ce qui le préoccupait, lui, c'était une affaire de cœur. N'était-ce pas au moins aussi grave ?

— Maxim, je t'ai laissé toutes les chances de trouver une épouse acceptable. Mais à présent... je n'ai plus le choix, ajouta le vieil homme en secouant la tête.

— Nous avons tous le choix, père.

C'étaient les paroles que Francesca avait prononcées le premier jour.

Maxim se dirigea vers le buffet et se servit un cognac.

— La famille royale doit se maintenir à Llandaron, reprit le roi. Le pays a besoin de nous. C'est un fait incontournable.

— En effet.

— Le peuple place tous ses espoirs en toi, Maxim.

— Mon frère...

— Ton frère n'a toujours pas d'héritier. Dieu seul sait s'il en aura un, un jour. Nous ne pouvons pas attendre.

Maxim vida son verre d'un trait. Contre quoi luttait-il, en ce moment ? Contre la volonté de son père ou contre la sienne ? C'était son désir qui s'opposait à son devoir. La réalité était cruelle, mais on ne pouvait y échapper. Il ne pouvait choisir que le devoir. Il passa nerveusement la main dans ses cheveux. Si seulement Francesca était...

Non. Bon sang, non ! Même si c'était possible, il l'aimait beaucoup trop pour lui offrir ce genre de vie. Un véritable esclavage ! Pour une personne ayant vécu libre toute sa vie, une telle contrainte serait insupportable.

Pourtant, c'était elle qu'il voulait. Et aucune autre femme.

— Dès minuit, j'annoncerai tes fiançailles.

Maxim considéra son père avec dureté.

— Pourquoi attendre ? Puisque je sacrifie ma vie à mon pays, autant l'annoncer tout de suite.

Cependant, il fallait d'abord qu'il voie Francesca. Il fallait qu'il la prenne dans ses bras et qu'il lui explique ce qu'elle ne lui avait jamais permis d'expliquer.

Mais Francesca n'avait pas besoin d'explication.

Tapie contre la porte de la bibliothèque, elle eut l'impression que ses membres devenaient de plomb, que son cœur et son âme se brisaient. L'espoir fragile auquel elle se raccrochait depuis des jours venait soudain de s'éteindre. Max allait se marier. Pas avec elle, mais avec une femme qu'il ne connaissait même pas.

Des larmes brûlantes roulèrent sur ses joues. Il avait fait son choix. Il avait opté pour son pays.

Elle fit un pas en arrière, un autre, puis pivota sur ses talons et s'enfuit dans le corridor. La superbe robe grâce à laquelle elle s'était crue transformée en princesse un moment auparavant la serrait à présent à l'étouffer. Fran avait remis les pieds sur terre. Elle se rappela douloureusement que les contes de fées étaient destinés aux enfants qui avaient encore un cœur frais et innocent. Jamais ils ne rejoignaient la dure réalité de la vie.

Les yeux brouillés de larmes, elle monta l'escalier qui menait à sa chambre. Pas question de rester dans la salle de bal et d'entendre annoncer les fiançailles de Maxim. Plutôt mourir ! Son séjour à Llandaron était terminé. Elle prendrait juste le temps d'aller voir une dernière fois Glinda et ses chiots, puis elle s'enfuirait.

Une fois retrouvé le refuge de sa chambre, elle ôta la robe et la posa délicatement sur le lit en se promettant d'écrire un mot à

Fara pour la remercier de sa générosité. Le vœu de la princesse ne serait pas exaucé, Max n'avait pas fait preuve de plus de courage qu'elle au moment de prendre sa décision concernant son mariage.

D'une main tremblante, elle essuya les larmes sur son visage. Comme Fara, elle n'aimerait jamais un autre homme, se promit-elle. Elle ne se marierait pas non plus et n'oublierait jamais celui qui lui avait laissé croire que l'amour existait.

11.

— Elle est partie !

En proie à une rage froide, Maxim arpentait la bibliothèque de long en large. La pendule à sa droite indiquait 3 heures du matin. Qu'avait-il fait ? Comment avait-il pu laisser une telle chose se produire ?

A sa gauche, son père était assis dans un canapé, aussi calme et immobile que la surface d'un lac par un jour d'été. Sa main ridée et noueuse serrait un verre de cognac vide.

— Je ne comprends pas ta réaction, Maxim. Tu as pourtant déjà quitté un grand nombre de femmes.

Maxim darda sur le vieil homme un regard hostile.

— Cette fois, ce n'est pas moi qui suis parti.

— Ce que je veux dire, c'est que tu as déjà vécu ce genre de séparation.

— Francesca n'est pas comme les autres.

— Vraiment ?

— Vraiment ! Bon sang !

Maxim s'arrêta devant la cheminée et frappa du poing sur le manteau de marbre.

Ses doigts heurtèrent violemment la pierre froide, mais c'est à peine s'il sentit la douleur. Francesca était partie sans même lui dire au revoir. Sans lui donner une chance de s'expliquer. De lui exposer les raisons de son choix.

Il passa les deux mains dans ses cheveux, les plaquant nerveusement sur son crâne. Son choix ! Pourquoi était-elle venue ici lui dire qu'il avait le choix ? Pourquoi était-elle venue à Llandaron ? Pour lui faire désirer ce qui était définitivement hors de sa portée ?

Levant les yeux au ciel, il marmonna :

— Comment diable a-t-elle fait pour partir si vite ? Comment a-t-elle pu avoir un avion pour les Etats-Unis dans la nuit même ?

— Je l'ai aidée.

Poussant une exclamation sauvage, gutturale, Maxim se tourna vers la porte. Une pipe calée au coin de sa bouche, Ranen Turk haussa les épaules.

— J'étais obligé de l'aider.

Le visage de Maxim se crispa et ses lèvres ne formèrent plus qu'une ligne fine et blanche.

— Pourquoi ?

— Parce que je l'aime bien.

— Moi aussi !

Ranen traversa la bibliothèque et vint poser une main sur l'épaule de Maxim.

— Elle ne voulait pas se trouver là quand on annoncerait ton mariage.

— Mon mariage…

Maxim sentit la tête lui tourner. Les murs semblèrent se rapprocher, il eut l'impression d'étouffer.

— On ne peut guère la blâmer, continua Ranen.

— Je ne comprends pas, marmonna Maxim en tournant vers son père un regard soupçonneux. Vous lui avez parlé ?

— Non, répliqua le roi en se carrant dans son fauteuil.

— Alors, comment savait-elle que vous alliez annoncer mon mariage ce soir ? Je ne vois pas ce qui a pu…

Maxim se figea et ne termina pas sa phrase. Avait-elle surpris la conversation qu'il avait eue avec son père au sujet de son avenir ? Etait-elle venue à sa rencontre dans le corridor ? Dans ce cas, elle avait dû l'entendre se ranger à l'avis de son père et...

Un long chapelet de jurons s'échappa de ses lèvres. Quel imbécile ! Quel satané imbécile il faisait !

— Je suis désolé, Maxim, grommela le roi en soupirant.

Maxim eut un rire amer.

— Permettez-moi d'en douter, père.

— Que veux-tu dire ?

— Vous prétendez vraiment être désolé ?

Ranen fit mine d'intervenir, mais Maxim ne lui en laissa pas le temps.

— Vous venez pourtant d'atteindre votre but !

Maxim laissa alors libre cours à la profonde colère qu'il avait réussi à contenir jusqu'à présent. Une colère qui le tenaillait depuis des mois, des années. Depuis qu'il avait compris que son frère n'aurait jamais d'héritier. Elle le saisissait chaque fois qu'il songeait à la vie limitée, encadrée, figée, que lui imposait sa position de prince. Une vie où le choix personnel n'avait pas cours.

— N'est-ce pas la parfaite solution pour vous, père ? La roturière disparue, votre fils rentrera dans le rang !

Une colère encore plus violente s'empara de lui à la pensée qu'il n'était pas capable de s'opposer à la volonté de son père. Le visage du roi s'empourpra.

— Maxim Thorne ! s'exclama-t-il d'une voix tonnante. Vous êtes peut-être un homme, mais vous parlez comme un enfant !

Maxim demeura muet, stupéfait comme un petit garçon qui vient de se faire tirer les oreilles. Il se laissa tomber sur une chaise à côté de son père et se frotta le front, l'air hagard. Comment avait-il pu en arriver là ? Il se comportait effectivement comme un enfant depuis qu'il avait pris conscience de sa situation et du sort qui lui était réservé. Il n'y avait donc rien de surprenant à ce que le roi le traite comme l'enfant qu'il était !

Le respect était une chose qui se gagnait. Or, s'il voulait qu'on le respecte, il fallait qu'il se comporte comme un homme. Pas comme un prince, comme un homme. Qu'il décide de son propre avenir.

Il s'assit plus confortablement sur sa chaise et s'exprima d'une voix calme et maîtrisée.

— Je n'épouserai pas la fille du duc d'Ernhart.

— Pourquoi ? demanda tranquillement le roi.

— Parce que je ne l'aime pas.

— Existe-t-il une autre femme que tu aimes ?

Maxim ouvrit les lèvres, sur le point d'expliquer à son père que ce qu'il éprouvait pour Francesca n'était pas une chose aussi simple que l'amour. C'était beaucoup plus complexe. Du désir, un instinct de possession, peut-être... Mais pas de l'amour.

S'il parlait d'amour, ce serait un mensonge.

Il vida son verre. Mais la chaleur du cognac n'eut pas sur lui l'effet d'engourdissement des sens qu'il espérait. Le liquide fort et ambré sembla s'insinuer jusque dans son cœur, comme pour faire apparaître la vérité avec plus d'acuité. Avec Francesca, rien n'était simple. Avec elle, la vie était merveilleusement complexe et intense. Comme leur amour.

Oui, il l'aimait. De toute son âme, de toutes ses forces, il l'aimait.

— Oui, père. Il y a une autre femme et je l'aime.

Il éprouva une immense satisfaction à prononcer ces mots d'une voix ferme et claire.

Une étincelle brilla dans les prunelles bleues du roi.

— Pourquoi ne m'en avais-tu rien dit, mon fils ?

— Vous saviez que je la voyais. Qu'elle demeurait...

— Voir une femme ou sortir avec elle ne signifie pas qu'on l'aime. L'amour est une chose entièrement différente.

— Même pour vous ?

— Oui.

— Il faut que vous sachiez, père, que mon pays et mon peuple sont tout pour moi, énonça Maxim d'un ton grave et assuré.

— Mais ?

— Mais j'épouserai la femme de mon choix.

Les mâchoires serrées, Maxim fixa sur son père un regard intense.

— La femme que j'aime.

Le roi se contenta de hocher la tête, sans prononcer une parole.

— Comme nous avons tous, d'une certaine façon, aidé la femme que j'aime à quitter le pays…

Le regard dur de Maxim se posa sur Ranen, puis revint sur son père.

— … nous allons à présent tous l'aider à revenir, acheva-t-il d'un ton sec.

— Que suggères-tu ?

Ranen tira bruyamment sur sa pipe et annonça :

— La truie de Mary Trost devrait avoir des petits ces jours-ci. Fran serait très utile pour…

— Assieds-toi, Ranen, ordonna Maxim avec un petit rire. Nous allons réfléchir ensemble.

Le roi haussa les sourcils, perplexe.

— C'est ton choix, mon fils ?

— C'est *elle* que j'ai choisie, père.

Le vieil homme hocha la tête en signe d'assentiment.

— Ta mère souhaitait que tu trouves l'amour dans le mariage, mon enfant. Comme tu ne paraissais pas exiger cette condition, j'ai cru…

Le roi s'interrompit, s'éclaircit la gorge et termina d'une voix douce :

— La reine aurait été fière de toi.

176

Un poing invisible serra le cœur de Maxim.

— Vous aussi, père ? dit-il, la gorge serrée.

Des plis se formèrent aux coins des yeux du vieux roi quand il se mit à rire.

— Je crois que tu as raison ! Je suis très fier de toi, petit.

Ranen leva les yeux au ciel et grommela d'un ton bourru :

— Ce n'est pas le tout ! Il faut préparer un plan. J'aimerais vraiment que quelqu'un m'aide, pour cette truie.

Père et fils sourirent finement.

— Elle est retournée dans sa clinique de Los Angeles.

« Retrouver Dagwood », ajouta Maxim en son for intérieur. Mais elle n'allait pas se jeter au cou de ce fade vétérinaire dès son retour, n'est-ce pas ? Une flèche de jalousie lui transperça le cœur. Aucun autre homme que lui n'avait le droit de la toucher. Il tomberait à genoux devant elle, il lui demanderait pardon pour sa folie, il lui embrasserait les pieds… et sûrement, elle lui pardonnerait et lui dirait qu'elle l'aimait aussi. Non ?

— Je crois que je tiens la solution !

Les paroles du roi arrachèrent Maxim à ses réflexions.

— Mais tu ne pourras pas partir avant une semaine, Maxim.

— Père, je ne peux pas attendre une semaine de plus.

— Fais-moi confiance, Maxim, dit le roi en souriant. Fais-moi confiance, mon fils.

Le printemps avait fait place à l'été. La chaleur avait submergé Los Angeles en même temps qu'un désir général de renouvellement. Les nouveaux films étaient à l'affiche, de nouveaux couples se formaient, des familles s'installaient en ville et des dizaines de portées de chiots et de chatons arrivaient chaque jour à la clinique vétérinaire.

Autrefois, Fran éprouvait une grande joie à voir toutes ces jeunes bêtes pleines de vie. Mais ce n'était plus le cas. Ils étaient pourtant tous mignons, bien sûr. Mais ils lui rappelaient trop Glinda, les chiots et son petit Chance.

Et le prince, bien entendu.

Son cœur sombra. Comme Maxim lui manquait ! Lui, mais aussi Llandaron et tous les gens dont elle avait fait la connaissance là-bas. Depuis son retour, une semaine auparavant, elle était sortie avec des amis, avait vu quelques films, était allée courir au bord de l'océan. Des distractions saines qui auraient dû lui changer les idées. Mais le soir, dans son lit, ses pensées la ramenaient invariablement vers *lui*. Elle aurait voulu pouvoir franchir l'océan à tire d'ailes pour le rejoindre.

— Eh bien, docteur, que lui arrive-t-il ?

Fran leva vivement la tête. Campée de l'autre côté de la table d'examen métallique, Amanda Randall, une jeune actrice, la regardait avec insistance. C'était une jolie rouquine qui avait accepté de se déshabiller dans son dernier film, ce qui lui avait valu un grand succès. Exactement le genre de clientèle que recherchait la clinique. L'année dernière, cette idée lui paraissait intéressante, lucrative. C'était le moyen idéal pour gagner suffisamment d'argent et ouvrir sa clinique chirurgicale. A présent, Fran trouvait cela… stupide. Sans intérêt.

Mais la vie continuait. Et sa vie, c'était la clinique et Los Angeles. Peut-être suffisait-il de prendre patience. Elle finirait bien par se réadapter.

— Ce n'est rien, miss Randall. Chardonnay a des puces.

Les yeux verts de la jeune starlette s'élargirent d'horreur.

— Impossible !

Pour lui prouver qu'elle ne se trompait pas, Fran passa un peigne à poux dans la fourrure du loulou de Poméranie, puis tendit l'objet à la lumière.

— Tenez, vous voulez voir…

178

— Non, répliqua sèchement l'actrice, l'air offensé.

Les célébrités, des gens drôles, merveilleux ? Mais où donc avait-elle été pêcher cette idée ?

— Lui avez-vous appliqué le produit anti-puces que j'avais prescrit ?

— Moi ? Non. C'est le travail de Jerry.

— Jerry ?

— Mon assistant.

La jeune femme repoussa une boucle de cheveux derrière son oreille en minaudant et poursuivit :

— Je dois me rendre à Miami pour un tournage le mois prochain. Je comptais emmener Chardonnay, mais… euh… vu les circonstances… beurk !

Pour être juste, il fallait reconnaître que parmi la clientèle de stars, quelques célébrités se montraient tout à fait sympathiques, se dit Francesca. Mais ils n'étaient pas très nombreux.

A moins qu'elle ne pense ainsi parce que plus rien ne lui paraissait normal depuis son retour. Plus rien n'était réel… à part Llandaron.

Seigneur, comment était-ce possible ? La première fois qu'elle avait mis les pieds dans cette petite île, elle avait eu l'impression d'être transportée au pays des fées. Et pourtant, elle était repartie avec le sentiment que la vraie vie se trouvait là-bas.

— Alors, que dois-je faire, maintenant ?

La question de la jeune femme sembla faire écho à celle qui se répercutait sans cesse dans sa tête.

Pour Fran, il n'y avait qu'une seule réponse possible : travailler et tenter d'oublier. Une semaine s'était écoulée depuis son départ de Llandaron. Maxim n'avait pas essayé de la contacter. D'ailleurs, elle ne s'attendait pas qu'il le fasse. Il était sans doute trop occupé par les préparatifs de son mariage.

Fran déboucha un flacon de produit anti-puces et l'appliqua sur le dos du chien.

— Avec ceci, vous serez tranquille pendant au moins un mois. Mais si vous ne voulez pas que votre maison soit envahie de puces, il faudra vous astreindre à le faire régulièrement vous-même.

— Ou à changer d'assistant.

— C'est une solution.

La jeune femme la remercia rapidement, mit ses gants et emporta le chien en le tenant à bout de bras pour éviter le moindre contact avec lui. Dennis apparut sur le seuil du cabinet de consultation, sourit aimablement à la cliente et se tourna vers Fran.

— Journée chargée, n'est-ce pas ?

Fran acquiesça d'un signe de tête.

Quand elle était rentrée à Los Angeles, Dennis et elle étaient spontanément redevenus bons amis, comme autrefois. D'ailleurs, il n'aurait jamais dû en être autrement entre eux. Il la considéra en fronçant les sourcils.

— Tu te sens bien, Frannie ?

— Très bien.

Pour autant qu'on puisse se sentir bien avec un cœur brisé.

— Ecoute, reprit Dennis en l'aidant à nettoyer la table d'examen. C'est bientôt l'heure de la fermeture. Cela ne t'ennuie pas si je pars un peu plus tôt ?

— Tu as rendez-vous avec ta petite amie ? s'enquit-elle, avec un sourire malicieux.

— Eh bien, oui. Ça ne te fait rien, j'espère ?

— Oh, non. Non, pas du tout. Je trouve ça super. Je suis contente pour toi.

Contente et jalouse. Bien sûr, elle n'éprouvait que de l'amitié pour Dennis. Mais elle était jalouse qu'il ait rencontré quelqu'un de spécial, alors qu'elle venait de *perdre* l'homme qu'elle aimait.

Dennis lui sourit gentiment.

— Il y a un dernier client dans la salle d'attente. Une urgence.

— Je m'en occupe. Va-t-en vite et passe une bonne soirée.

— Passe une bonne soirée aussi, Frannie.

Avec un petit clin d'œil amical, il sortit d'un pas vif.

— C'est par là ! l'entendit-elle dire dans le corridor.

Elle rit sous cape. Cette petite amie devait être drôlement importante pour qu'il soit si pressé de…

Un petit cri lui échappa. Des larmes lui piquèrent les yeux, mais elle était trop stupéfaite pour se mettre à pleurer.

— Max ?

— Bonjour, docteur.

Ce sourire irrésistible, ces yeux d'un merveilleux bleu de Prusse… Le regard fixé sur elle, il demeura sur le seuil. Etait-ce un rêve ? Un mirage ? Non, c'était un vrai prince charmant, vêtu d'un costume sombre et d'une chemise blanche.

— Que fais-tu là ?

Son cœur battait la chamade. Pourquoi était-il venu ? Pour son travail ou pour elle ?

— Nous serions venus plus tôt si cela avait été possible. Mais il fallait d'abord mettre son carnet de vaccination à jour.

Il se tourna et prit derrière lui un gros chiot au pelage beige.

— Quelqu'un a besoin de toi, Francesca.

— Chance ?

Fran traversa la salle d'examen et prit le chiot endormi dans ses bras.

— Oui, je te l'ai emmené. Mais il n'est pas le seul à avoir besoin de toi.

Elle eut l'impression que ses genoux se dérobaient sous elle. Sa gorge se noua et elle répéta d'une voix faible :

— Ce n'est pas le seul ?

— Non, répondit Maxim en posant une main sur sa joue. Quand tu as quitté Llandaron, je suis devenu fou. Tu m'as transformé, Francesca. J'étais un prince et tu as fait de moi un homme. Un homme de chair et de sang.

Fran appuya sa joue contre sa paume tiède. L'espoir et la peur se mêlèrent un instant dans son cœur.

— Dis-moi pourquoi tu es venu… avant que je ne devienne folle, moi aussi.

— Je ne peux pas vivre sans toi.

Fran vacilla, mais parvint à recouvrer son équilibre.

— Et la princesse du Danemark ?

— Il n'y a pas de princesse.

Maxim se pencha, l'embrassa doucement sur la bouche et murmura, contre ses lèvres entrouvertes :

— Il n'y a personne d'autre que toi.

Francesca eut l'impression d'être transportée dans un monde de merveilles. Il avait prononcé les paroles qu'elle espérait tant entendre.

— Mais ton pays ? Ton peuple ? demanda-t-elle cependant.

— Ils t'adorent et ils veulent que je sois heureux.

— Ton père…

— Mon père n'attendait qu'une chose : que je lui dise que je t'aimais.

Les larmes lui brûlèrent les yeux. Elle serra Chance contre son cœur.

— Tu as dit que tu m'aimais ?

C'était trop beau… Pouvait-elle le croire ? Pouvait-elle espérer encore une fois ?

— Je t'aime, Francesca Charming.

Il dit les mots avec simplicité et sincérité. Puis il la prit dans ses bras et la serra contre lui, avec Chance.

— Tu te rappelles le jour où nous nous sommes rencontrés ? lui murmura-t-il à l'oreille. Nous avons parlé des choix qu'il fallait faire dans la vie.

— Je m'en souviens, dit-elle dans un souffle.

— C'est la peur qui m'a empêché de faire le bon choix tout de suite. J'avais si peur de perdre le contrôle de moi-même que je ne voyais pas la vérité. Tu m'as aidé à la découvrir, ajouta-t-il en déposant un baiser sur son front.

— Oh, Max…

— Tu fais partie de mon âme, Francesca. Comme je fais partie de la tienne.

— Tu es certain que c'est ce que tu veux, Max ? Tu veux vraiment de moi ?

Il fallait absolument qu'il soit sûr de lui et de sa décision. C'était essentiel pour leur avenir.

Maxim lui souleva le menton du bout du doigt et l'embrassa longuement.

— Je n'ai jamais été aussi sûr de moi dans toute ma vie, dit-il.

Elle ne désirait pas entendre autre chose.

— Je t'aime tant, Max. Je ne savais pas qu'il était possible d'aimer autant.

— Alors, viens avec moi, rentrons chez nous ensemble, ma princesse chérie.

Le cœur de Francesca se serra. Non de douleur, mais de bonheur à l'idée de l'amour qui lui était offert.

— Nous rentrons à Llandaron ?

— Oui. Tu pourras continuer d'y exercer ton métier.

Les larmes roulèrent sur les joues de Francesca. Chance bâilla et poussa un jappement satisfait. Un mois auparavant, elle n'était encore qu'une femme seule, au cœur vide. Et maintenant, elle était avec l'homme qu'elle aimait, avec son prince. Elle savait à présent que les contes de fées se réalisaient parfois. Elle avait cru à l'amour et, en retour, l'amour avait cru en elle.

— Je t'aime plus que je ne peux le dire. Et je te suivrai là où tu décideras d'aller.

Maxim l'embrassa de nouveau. Ils eurent l'impression d'être transportés dans le phare de Llandaron et d'entendre les vagues s'écraser contre la jetée.

— Epouse-moi, Francesca, murmura-t-il. Sois ma femme. Ma princesse.

— Oui. Oh, oui, Max.

— Je te donnerai des enfants. Nous aurons une famille.

Comme il la connaissait et la comprenait ! Une vague chaude lui enveloppa le cœur et elle leva les yeux vers l'homme qui allait être son mari, le père de ses enfants et qui allait régner sur son cœur pour toujours. Il lui offrait tout ce dont elle avait toujours rêvé.

— C'est vraiment un conte de fées, dit-elle en souriant.

— Tu sais ce qu'on dit à la fin d'un conte de fées ?

Il l'attira étroitement contre lui, l'embrassa avec ferveur et chuchota :

— Et ils vécurent incroyablement, passionnément, merveilleusement heureux.

Le nouveau visage
de la collection Or

◆

AMOURS D'AUJOURD'HUI

Afin de mieux exprimer sa modernité et de vous séduire encore davantage, votre collection Or a changé de couverture et de nom depuis le 1er mars 1995.

Rassurez-vous, les romans, eux, ne changent pas, et vous pourrez retrouver dans la collection **Amours d'Aujourd'hui** tous vos auteurs préférés.

Comme chaque mois, en effet, vous y attendent des héros d'aujourd'hui, aux prises avec des passions fortes et des situations difficiles...

COLLECTION
AMOURS D'AUJOURD'HUI :
Quand l'amour guérit des blessures de la vie...

Chère lectrice,

Vous nous êtes fidèle depuis longtemps?
Vous venez de faire notre connaissance?

C'est pour votre plaisir que nous avons
imaginé un rendez-vous chaque mois
avec vos auteurs préférés, vos
AUTEURS VEDETTE dans les
collections Azur et Horizon.

Les AUTEURS VEDETTE vous
donneront rendez-vous pour de
nouveaux livres vedette.

Pour les reconnaître, cherchez
l'étoile... Elle vous guidera!

Éditions Harlequin

HARLEQUIN

LE FORUM DES LECTEURS ET LECTRICES

CHERS(ES) LECTEURS ET LECTRICES,

VOUS NOUS ETES FIDÈLES DEPUIS LONGTEMPS?

VOUS VENEZ DE FAIRE NOTRE CONNAISSANCE?

SI VOUS AVEZ DES COMMENTAIRES, DES CRITIQUES À
FORMULER, DES SUGGESTIONS À OFFRIR, N'HÉSITEZ
PAS… ÉCRIVEZ-NOUS À:
        LES ENTERPRISES HARLEQUIN LTÉE.
        498 RUE ODILE
        FABREVILLE, LAVAL, QUÉBEC.
        H7R 5X1

C'EST AVEC VOS PRÉCIEUX COMMENTAIRES QUE NOUS
ALLONS POUVOIR MIEUX VOUS SERVIR.

DE PLUS, SI VOUS DÉSIREZ RECEVOIR UNE OU
PLUSIEURS DE VOS SÉRIES HARLEQUIN PRÉFÉRÉE(S)
À VOTRE DOMICILE, NE TARDEZ PAS À CONTACTER LE
SERVICE D'ABONNEMENT; EN APPELANT AU
(514) 875-4444 (RÉGION DE MONTRÉAL) OU 1-800-667-4444
(EXTÉRIEUR DE MONTRÉAL) OU TÉLÉCOPIEUR
(514) 523-4444 OU COURRIER ELECTRONIQUE:
AQCOURRIER@ABONNEMENT.QC.CA OU EN ÉCRIVANT À:
        ABONNEMENT QUÉBEC
        525 RUE LOUIS-PASTEUR
        BOUCHERVILLE, QUÉBEC
        J4B 8E7

MERCI, À L'AVANCE, DE VOTRE COOPÉRATION.

BONNE LECTURE.

HARLEQUIN.

VOTRE PASSEPORT POUR LE MONDE DE L'AMOUR.

COLLECTION
HORIZON

Des histoires d'amour romantiques qui vous mènent au bout du monde!

Découvrez la passion et les vives émotions qu'apportent à la Collection Horizon des auteurs de renommée internationale!

Captivantes, voire irrésistibles, ces histoires d'amour vous iront assurément droit au coeur.

Surveillez nos trois nouveaux titres chaque mois!